D0271938

HOU JE TAAI!

Lieneke Dijkzeul

Hou je taai!

Lemniscaat 8 Rotterdam

Vijfde druk, 2006

Omslagillustratie: Mies van Hout

ISBN 90 5637 832 5

Druk: Drukkerij C. Haasbeek b.v., Alphen aan den Rijn

Bindwerk: Boekbinderij De Ruiter b.v., Zwolle

Dit boek is gedrukt op milieuvriendelijk, chloorvrij gebleekt en verouderingsbestendig papier en geproduceerd in de Benelux waardoor onnodig milieuverontreinigend transport is vermeden.

1

Hijgend bleef Daan voor het flatgebouw staan. Hij graaide in zijn zakken naar zijn sleutels. Niks. Vergeten. Stom!
Hij blies op zijn vingers. Z'n wanten lagen nog bij Jochem. Wat vergat-ie niet? Oen.
Maar wat moest hij nou? Naar opa? Niet de moeite, over een dik halfuur kwam zijn moeder thuis. Wachten tot er iemand kwam? Dan kon hij in elk geval naar binnen, het trappenhuis in. Uit die rotwind.
Hij trok zijn kraag hoger op, keek om zich heen. Niemand, natuurlijk.
Zou mevrouw Bals thuis zijn? Vast wel, die was altijd thuis, met het oog op haar been. Hij grinnikte, zag een groot knipperend oog voor zich, op het gezwollen been van mevrouw Bals. Hij legde zijn vinger al op de bel, maar bedacht zich. Mevrouw Bals was een best mens, maar wel een zeur.
Hij keek de lege straat weer af. De iele boompjes aan de overkant bogen diep voor de snerpende oostenwind. Gemeenteboompjes, dacht Daan. Het duurt jaren voor ze groot zijn, en áls ze groot zijn, worden ze waarschijnlijk ziek. Iepziekte, dat bestond toch? Hij stampte met zijn voeten, blies weer op zijn handen, keek op zijn horloge. Nog vijfentwintig minuten. Weet je wat? Hij ging even bij het Kasteel kijken.
Het Kasteel stond helemaal aan het eind van de straat. Aan het eind van de stád. Achter het Kasteel was een stukje bos, dat bij het huis hoorde, en daarachter begonnen de weilanden.
Het Kasteel was geen écht kasteel, natuurlijk. Het werd zo ge-

noemd omdat het aan één kant een torentje had. Het was een kast van een huis, en het stond al jaren leeg. Vroeger dacht hij dat het er spookte. Het was echt een huis voor een familiespook. Rinkelende kettingen, ijzeren bal, de hele santenkraam. Daan begon de straat uit te lopen.
Maar nu was het eindelijk verkocht. Eerst was het bordje met TE KOOP, waarvan de letters door weer en wind al bijna waren afgesleten, uit de tuin gehaald. Daarna stonden er wekenlang vrachtauto's en bestelwagens voor de deur.
Een schildersbedrijf, een tegelhandel, 'De Vliegende Pers', dat zou wel een firma in tapijten wezen, en, het spannendst van alles, een auto waarop stond: 'Tuinarchitectuur en Zwembadaanleg'. Daan stopte zijn handen nog wat dieper in zijn zakken. Hij was er al bijna.
Zou er echt een zwembad komen? Het leek er wel op. Aan de achterkant van het Kasteel was een gigantische kuil gegraven. Niet dat je zo makkelijk dicht bij het huis kon komen. Rondom de hele tuin liep een hoog ijzeren hek, met onvriendelijke punten. Daan had er menige scheur in zijn broek voor geriskeerd door eroverheen te klimmen.
Hij liep de oprijlaan op, tot aan het hek. Verrast bleef hij staan. Er stond een auto voor het huis. En wat voor een auto! Een lage sportwagen. Vuurrood, met glimmende spaken in de wielen, en een kap die open kon. Een Ferrari, Daan zag het meteen.
Tjee, je moest wel stinkend rijk zijn als je zo'n auto kon betalen! Trouwens, het Kasteel zelf zou ook wel een schep geld gekost hebben, al had het er dan verwaarloosd uitgezien. Daan zuchtte afgunstig. Hij keek nog eens naar de glanzende Ferrari, liet zijn blik dwalen over de blinkende ramen van het huis, de fris geschilderde kozijnen, de monumentale voordeur.
Met een schok ging hij rechtop staan. De deur ging open! Een vrouw en een meisje kwamen naar buiten. Een dáme en een meis-

je, verbeterde Daan zichzelf. Dit was het p-en-p-type, zoals zijn moeder dat noemde. Parels en plooirok.
'Eva, maak jij het hek even open?' riep de dame.
Het meisje holde door de laan, over de knersende kiezels, recht op Daan af. Die maakte zich klein, wou weglopen, maar bleef staan. Hij deed toch niks? Hij keek alleen maar, en kijken mocht.
Het meisje zag hem. Ze stak een hand op.
'Hoi,' zei ze joviaal.
'Dag,' mompelde Daan.
Het meisje trok aan het hek, dat knarsend openzwaaide. Met brullende motor kwam de Ferrari op hen af.
Daan stapte opzij. Straks reed dat mens hem van de sokken. Veel te veel gas gaf ze. Die kon niet rijden, dat zag je zo. Zonde van die auto, dacht hij.
Het meisje lachte. 'Het lijkt erger dan het is, hoor. Er zit ook een rem op.'
'Dat weet jij, dat weet ik, maar weet zíj dat?' mompelde Daan. Het meisje lachte weer. Ze had een beugel, zag Daan. Jammer, verder was ze best knap. Lang donker haar, grote, bruine hertenogen.
De hertenogen keken hem aan. 'Woon je hier in de buurt?'
'Daar.' Daan knikte met zijn hoofd naar de flats in de verte.
'Zit je dan op de Breukersschool?'
'Jep,' zei Daan.
'Daar ga ik ook naartoe,' zei het meisje. Opeens verlegen zei ze: 'Ik heet Eva.'
'Daan,' zei Daan.
De dame stapte uit de auto. 'Eva, ik zie dat ik m'n tas vergeten heb. Stap jij vast in? Je weet dat het te koud voor je is met die wind.'
Daan werd vorstelijk genegeerd.
'Dit is Daan,' zei Eva. 'Hij zit ook op de Breukersschool. Leuk, hè mama? Dan ken ik alvast iemand.'
Twee opgemaakte ogen namen Daan vluchtig op.

'Misschien kunnen jullie eens samen spelen. Woon je hier in de buurt?'
'Ik woon daar,' zei Daan. Hij knikte weer naar de flatblokken.
De ogen werden kil.
'In die flats? Zo.'
Te armoedig, registreerden Daans hersens. Hij keek ook naar de flats. Zes hoog, allemaal met eendere spijlenbalkonnetjes, die allemaal donkergroen geverfd waren. Bládderend donkergroen, maar dat zag je niet, van hieraf.
De was die hier en daar vrolijk hing te wapperen, zag je wel. En ook de graffiti op de muren. Zelfs op deze afstand kon je lezen dat er DOOD AAN AJAX! op stond, en TURKEN ROT OP.
Eva's moeder kuchte. 'Stap nu in, Eva. Dat jongetje zie je op school dan wel.'
Jongetje! Daan blies bijna. Zag dat mens niet dat hij al twaalf was? Verontwaardigd staarde hij de verdwijnende elegante rug na.
Eva lachte haar beugel bloot. 'Trek het je niet aan, joh. Zo zijn moeders nou eenmaal.'
Daan knikte beleefd. Hij had een moeder die spijkerbroeken droeg en zilveren oorringen. En die 'shit' zei als er iets verkeerd ging. Ze zei vaak shit, zijn moeder.
Hij trok weer aan zijn kraag.
'Dan ga ik maar,' zei hij stuntelig.
'Tot kijk,' zei Eva. Ze stapte in. Het portier sloeg met een dure doffe bons dicht.
Daan draaide zich om en begon te hollen.

2

Thuis stond zijn moeder boven op de tafel. Ze prutste aan een plafondlamp en hield een schroevendraaier tussen haar lippen geklemd.
'Wat doe je?' vroeg Daan.
'Lamp ftuk,' zei zijn moeder onduidelijk.
'Heb je de stroom er wel af?' vroeg Daan.
Zijn moeder haalde de schroevendraaier uit haar mond.
'Nee, ik heb vuurvaste handen, nou goed?'
Daan lachte. 'Héb je de stroom eraf?'
'Ik geloof het wel,' zei zijn moeder onzeker. 'Ik ben van het lichtknopje afgebleven, dan is het toch goed?'
Daan liep naar de meterkast in het halletje. Hij keek naar de schakelaars, vier op een rij. Welke zou het zijn?
Voor alle zekerheid draaide hij ze alle vier om.
Hij liep terug naar de kamer. 'Lukt het?'
'Nnnja,' zei zijn moeder. Ze draaide een lamp in de fitting en sprong van de tafel. De tafel kraakte.
'Je moet de trap nemen,' zei Daan streng. 'Vandaag of morgen breek je je nek. Die tafel is niks waard.'
'Ja meneer,' zei zijn moeder vrolijk. Ze klom weer op de tafel en schroefde de matglazen bol op zijn plaats.
'Doe het licht eens aan?'
Daan liep naar de kamerdeur, drukte op het knopje. Er gebeurde niets.
'Shit,' zei zijn moeder.
'Wacht even.' Daan verdween weer naar de meterkast.

De lamp gloeide zachtroze op.
'Hoera,' zei zijn moeder. Ze schopte haar schoenen uit en ging op de bank liggen. 'God, wat ben ik moe.'
'Wat eten we?' vroeg Daan.
Zijn moeder had haar ogen dicht. 'Gebakken muggenruggetjes.'
'Ha, ha,' zei Daan.
Zijn moeder deed haar ogen open. 'Ik dacht aan iets makkelijks, eigenlijk.'
'Macaroni,' vertaalde Daan. 'Zal ik het maken?'
'Jij zegt altijd precies wat ik hoop dat je zult zeggen,' zei zijn moeder dankbaar. Ze trok haar benen op en propte een kussen in haar nek.
'Het Kasteel is bewoond!' riep Daan vanuit de keuken. 'D'r is geen gehakt!'
'Ham!' riep zijn moeder terug. 'De ham was in de aanbieding. En er is kaas. Wie woont er op het Kasteel?'
'Een meisje,' zei Daan. Hij trok met zijn tanden aan de plastic verpakking van de ham. Die rothoekjes gingen nooit open. 'Met haar moeder. En misschien met een vader, dat weet ik niet. Haar moeder heeft een Ferrari.'
'Dan zal ze ook wel een man hebben,' zei zijn moeder. 'Eén kind? Wat moet je met z'n drieën in zo'n kast? Je kunt jezelf niet terugvinden.'
'Da's de kift,' vond Daan. Hij spuugde een stukje plastic uit.
Zijn moeder lachte. 'Tuurlijk is dat de kift. Leek het een aardig meisje?'
In de keuken haalde Daan zijn schouders op. 'Ze heeft een beugel.'
'Daarom kan ze nog wel aardig zijn,' zei zijn moeder. 'Jij hebt een bril.'
Daan grinnikte. Ja, stomme opmerking eigenlijk. En het meisje, Eva, ze was mooi, ondanks die beugel. Trouwens, die beugel was maar tijdelijk, maar híj liep de rest van z'n leven met zo'n oenige bril. Als ik zelf geld heb later neem ik lenzen, bedacht hij. Hij be-

gon de ham in blokjes te snijden, en daarna de kaas. 'Ze komt bij mij op school,' riep hij. 'Dat meisje. Ze heet Eva.'
'Dus je hebt al kennisgemaakt,' zei zijn moeder.
'Alleen met Eva,' antwoordde Daan. 'Die moeder stond stijf van de haarlak en de juwelen. Die zag me nog niet stáán. Wou je uien door de macaroni?'
'Doe maar,' zei zijn moeder. 'Da's gezond, uien. En er ligt nog een tomaat, geloof ik. Doe die er ook maar bij. Was die moeder het p-en-p-type?'
Daan knikte.
'Daan?' riep zijn moeder.
O ja.
'Ja!' riep hij terug.
Handig sneed hij de uien, liet boter in de koekenpan smelten en kwakte de hele handel erbovenop. Hij roerde met een houten lepel en proefde. Zout en peper. Oregano.
Hij strooide een royaal handje oregano in de pan. Het busje zat toch nog bijna vol.
Hij kookte water in een pan en goot de macaroni uit het pak. Nog maar net genoeg, zag hij. Het lege pak gooide hij in de pedaalemmer. Hij schreef 'Macaroni' op het leitje.
Terwijl de macaroni borrelde, dekte hij razendsnel de tafel. Hij goot het water af, schepte de inhoud van de koekenpan bij de macaroni en roerde de kaas erdoorheen.
'Klaar!'
Geen antwoord.
Hij liep naar de kamer. Zijn moeder sliep, haar krullen warrig over haar gezicht. Eén arm hing slap naar beneden. Daan schudde er voorzichtig aan.
'Het eten wordt koud.'
Zijn moeder veegde de haren uit haar gezicht en ging rechtop zitten. 'Was ik in slaap gevallen, nee toch?'

'Nee, dat leek maar zo,' grijnsde Daan. 'Kom je?'
Onder het eten vroeg Daan: 'Heb je 't erg druk gehad, vandaag?'
Zijn moeder werkte in een bloemenzaak, 'De Gouden Kroon'. Daan vond het meer een naam voor een winkeltje waar ze kunstgebitten verkochten.
'Drie trouwpartijen,' zuchtte zijn moeder. 'Dus drie bruidsboeketten, zesentwintig witte anjers, vijftien gele rozen, en tweeënveertig lila orchideetjes. Ik heb me wel tien keer in m'n vinger geprikt met die rotspeldjes.'
'Tweeënvéértig? Gossie, wat een grote familie,' zei Daan. Hij legde zijn mes en vork neer en veegde zijn mond af met de rug van zijn hand.
'Viespeuk,' zei zijn moeder.
'De servetten waren op,' zei Daan.
'Dan neem je een velletje keukenrolpapier,' vond zijn moeder. 'Jasses, Daan, kijk nou eens naar je hand.'
'Nee,' zei Daan. 'En je moet niet zeuren, anders kook je maar zelf.'
Zijn moeder keek hem strak aan, maar Daan deed net of hij het niet zag. Hij nam zijn bril af, ademde op de glazen en poetste ze op met zijn mouw.
'Verder nog iets bijzonders?' vroeg hij nonchalant.
'Schurk,' zei zijn moeder. Ze stond op, zette de borden in elkaar en liet warm water in de gootsteen lopen.
'Hebben we geen toetje?' vroeg Daan teleurgesteld.
Zijn moeder spoot afwasmiddel in de gootsteen.
'Nee. Ik heb gisteren vergeten yoghurt te kopen. En de supermarkt was al dicht, vanmiddag. Neem een appel.'
Daan zuchtte. Hij had geen zin in een appel. Hij had zin in iets lekkers. Zo'n bekertje van dat spul dat zijn moeder namaakzuivel noemde. Daar was geen koe aan te pas gekomen, volgens haar. Alleen maar smaakstoffen, kleurstoffen, en conserveermiddel. En suiker. Zijn moeder was fel tegen suiker. Daan had

dan ook een gaaf gebit. En het stond nog recht ook. Voor hém geen beugel.
'Heb je geen huiswerk?' vroeg zijn moeder.
Daan schudde zijn hoofd. 'Pas voor volgende week. Zullen we iets gezelligs gaan doen? Potje schaken?'
Zijn moeder weifelde. 'Ik moet eigenlijk aan de studie. Anders wordt het wéér niks vanavond. Ik móet slagen dit jaar, Daan.'
Daan knikte.
Ze deed een lerarenopleiding Engels, en ze was al twee keer gezakt. Wat ook geen wonder was, dacht hij. De hele dag in die rotwinkel staan, bruidsboeketten en grafkransen in elkaar prutsen, dan rennen naar de supermarkt, rennen naar huis, koken, afwassen, en dan nog studeren. En af en toe deed ze ook nog wel eens iets in huis.
Hij grinnikte binnensmonds om dat af en toe. Meestal was het dus een puinhoop, maar dat vond ze wel gezellig.
'Zeg, als je daar toch staat te suffen, kun je net zo goed even afdrogen,' zei zijn moeder slim.
Daan lachte en greep een droogdoek.
'Thank you very much, my dear,' zei zijn moeder.
Ze oefende soms op hem, vandaar.

3

’s Maandags kwam Eva op school. Daan zag haar direct toen hij het schoolplein opliep.
Hij aarzelde even. Ze stond daar zo verloren tegen de muur geleund. Zou hij een praatje gaan maken? Waarom niet, hij kende haar nou toch?
Hij slenterde in haar richting. Ze zag er leuk uit, dacht hij. Of leuk was het woord niet. Het woord was dúúr. Vanaf de Nike-schoenen tot aan de glinsterende speld in haar haar schreeuwde alles ‘geld’.
Eva zag hem, en haar gezicht klaarde op. ‘Hoi Daan!’
‘Hoi,’ zei Daan.
Ze zwegen, namen elkaar op.
Tegelijk deden ze hun mond open.
‘Zie je…’
‘Zit je…’
Ze lachten allebei.
‘Zeg het maar,’ zei Daan.
‘Zeg jíj het maar,’ zei Eva.
‘Heb je… uh, heb je nog kou gevat?’ vroeg Daan onnozel.
Hij had iets heel anders willen zeggen, maar hij wist opeens niet meer wat.
‘Natuurlijk niet,’ zei Eva. ‘Zit jij in mijn groep?’
‘In welke groep zit jij?’ vroeg Daan.
‘Acht,’ zei Eva.
‘Ik ook,’ zei Daan. ‘Dan heb je de Luis.’
‘De wíe?’ vroeg Eva verbaasd.

‘Meester Neteman,’ legde Daan uit. ‘Neet = luis, snap je?’
Eva lachte. ‘Arme meester Neteman. Is-ie aardig?’
Daan draaide zijn handpalmen naar buiten en weer naar binnen.
‘Gaat wel,’ begreep Eva. ‘Is hij oud of jong?’
‘Jong van hárt,’ zei Daan. ‘Hij is minstens vijfendertig.’
‘Dat is niet oud,’ vond Eva. ‘Mijn moeder is ook vijfendertig.’
‘Ja, maar die...’ begon Daan, en zweeg.
‘Die kan het wegschilderen, bedoel je,’ zei Eva scherpzinnig.
Daan kleurde. ‘Zoiets.’
De zoemer ging, en iedereen vocht zich naar binnen.

Verhip, dacht Daan toen hij zijn jack ophing. Grote kans dat ze naast mij moet zitten, Peter is immers verhuisd? Hij wist zelf niet of hij het leuk zou vinden of niet. Hij schoof op zijn plaats en draaide zich om naar Yusuf.
‘We hebben een nieuwe in de klas.’
‘Best,’ zei Yusuf. Yusuf vond alles best. Hij was pas een halfjaar in Nederland, en begreep maar de helft van wat je tegen hem zei.
‘Gezien,’ zei Yusuf. Hij grijnsde. ‘Mooie meisje.’
Tot zijn eigen verbazing voelde Daan dat hij bloosde. Wat krijgen we nou, Daan Koning?
De vloer dreunde. Meester Neteman kwam binnen. Hij daverde naar zijn tafel, rakelings langs Eva, die met haar handen op haar rug voor het bord stond. Hij zág haar niet eens. Hij was verstrooid, de Luis. Erg verstrooid.
‘Allemaal zitten!’ riep hij. ‘Allemaal je mond dicht. Vandaag gaan we Floris de Vijfde...’
‘Vermoorden,’ vulde Jochem aan.
De Luis hees zijn broek op. ‘Heel goed, Jochem,’ zei hij onverstoorbaar.
Daan keek naar Eva, die nog steeds voor het bord stond. Ze keek strak voor zich uit, over de hoofden van de kinderen heen. Hier

en daar werd al gegrinnikt. Daan voelde dat hij iets moest doen. Hij stak zijn hand op.
'Zeg het maar, Koning Daan,' zei de Luis opgewekt.
'We... eh, we hebben een nieuw meisje in de klas, meester,' hakkelde Daan.
'O ja?' zei meester Neteman verbaasd. Hij ontdekte Eva. 'Ben jij dat?'
Eva knipperde met haar ogen. Daan kneep zijn handen samen. Soms is het een hufter, dacht hij.
Maar Eva liet zich niet kisten. Haar hoofd ging fier omhoog. Ze liep naar de Luis toe en stak haar hand uit.
'Ik heet Eva van Tuil,' zei ze. En toen helder: 'En u?'
De klas gnuifde waarderend.
De Luis keek verbluft naar de hand.
'Neteman,' zei hij. Langzaam kwam hij bij zijn positieven. Hij greep Eva's hand en schudde hem hartelijk. En pijnlijk, zag Daan; Eva's gezicht vertrok.
'Beter bekend als de Luis,' zei meester Neteman. 'Maar ik word geacht dat niet te weten.'
Hij liet Eva's hand los. 'Eens kijken, waar moet je zitten? Naast Daan, dacht ik. Dat daar is Daan.'
Hij wees naar Daan alsof die een zeldzaam insect was. Eva liep de klas door en schoof naast Daan. Iemand floot. Daans kleur kroop weer op. Wacht maar, Jochem, jou krijg ik nog wel.
Om drie uur stond de rode sportwagen voor de school geparkeerd. Daan was van plan geweest, Eva te vragen of ze samen zouden oplopen. Ze moesten toch dezelfde kant uit. Maar toen hij de Ferrari zag, draaide hij zich om naar Jochem.
'Zullen we wat gaan doen?'
'Kan niet,' zei Jochem. 'Ik moet naar de tandarts. D'r zit een gat in m'n kies.'
Hij sperde zijn mond open en wees met een beïnkte vinger.

'Aar. Ie je el?'
Daan zag niks, maar hij wou niet onhartelijk lijken.
'Tjonge,' zei hij meelevend. 'Doet 't zeer?'
'Nou nog niet,' zei Jochem. 'Maar straks wel. Dan heb ik zo'n houten kop.'
'Houten kop?' Daan was onbekend met het fenomeen verdoving.
'Van die prik,' verklaarde Jochem. En meteen erachteraan: 'Duw je tong eens tegen je achterste kies?'
'Onder of boven?' vroeg Daan.
'Maakt niet uit,' zei Jochem. 'Heb je 'm?'
Daan knikte.
'En zeg nou eens: hoe ga ik morgen naar school?' zei Jochem.
'Oe wak mogge nasool?' zei Daan niet-begrijpend.
'Met het hortsikbusje!' gierde Jochem, en was weg.

4

Dinsdags tijdens de taalles fluisterde Eva tegen Daan: 'Wil jij me helpen met ontleden?'
Daan verstond haar niet. 'Wat zeg je?'
'Koning Daan, mond houden!' riep meester Neteman. 'En, eh... Dinges, jij ook.'
'Eva, meneer,' zei Eva. Daan lachte.
'Precies,' zei de Luis.
Eva boog zich over haar taalboek, maar even later schoof ze een briefje in Daans richting. Hij pakte het op en vouwde het voorzichtig open.

Wil jij me helpen met ontleden?
Ik snap er geen klap van.
Vanmidag na school?

stond erop. Daan draaide het om en schreef:

Kan niet. Moet naar m'n opa.
Morgen?

Hij vouwde het briefje dubbel, wachtte tot de Luis met zijn rug naar hen toe stond, en legde het op Eva's tafel.
Eva las het en knikte. Twee uur? miemde ze.
Daan stak zijn duim op.
'Liften doe je maar in je eigen tijd, Koning Daan!' brulde meester Neteman opeens. 'En jij, Dinges, geef dat briefje maar hier.'

Daan schoot rechtop. Die ellendige Luis, álles zag-ie. Nou had je de poppen aan het dansen. De Luis had de akelige gewoonte om de briefjes die hij onderschepte hardop voor te lezen. Je zou ze horen! dacht Daan. Zijn tenen trokken alvast krom in z'n schoenen.
'Welk briefje, meneer?' vroeg Eva.
Daan loerde verbaasd opzij.
Eva liet haar handen zien. Ze waren allebei leeg.
'Eén-nul,' zei Jochem.
Meester Neteman bonkte door de klas.
'Onder je taalboek!'
Eva tilde haar taalboek op.
'Geen briefje, hè meneer?' zei ze onschuldig.
Meneer! Daan verbeet een grinnik.
'Twéé-nul,' meldde Jochem.
De Luis blies zijn wangen op. Hij negeerde Jochem.
Nou wordt-ie bloedlink, dacht Daan. Oppassen Eva!
'In je zak,' zei meester Neteman zachtjes. Zijn kaakspieren werkten, alsof hij op iets kauwde.
De klas had intussen in de gaten dat het spannend werd. Maaike giechelde, Robbie humde.
Eva ging staan. Ze droeg een kort spijkerrokje met plooitjes. Ze pakte het rokje bij de zoom en spreidde het elegant uit.
'Hier zitten geen zakken in, ziet u wel, meneer?' zei ze behulpzaam.
'Drie-nul,' vond Jochem.
De lach rolde door de klas als de branding van de Noordzee. De Luis ontplofte.
'D'r uit!' schreeuwde hij. 'Wegwezen!'
'Natuurlijk, meneer,' zei Eva royaal.
'Góh,' zei Jochem bewonderend. Daan lachte.
'Jij ook!' brulde de Luis. 'En jij! Ophoepelen. Wiebeven!'
Met z'n drieën liepen ze gehoorzaam naar de deur. Beleefd hield Jochem hem open. 'Dames gaan voor.'

Als een duveltje uit een doosje schoot de Luis op hem af. Jochem smakte haastig de deur voor zijn neus dicht.

'Is hij altijd zo driftig?' vroeg Eva toen ze uitgelachen waren.
Daan schudde zijn hoofd.
'Hij is best geschikt,' legde Jochem uit. 'Maar gauw nijdig, hè? Net een blikken pan. Zo heet, zo koud.'
'Waar had je 't zo gauw verstopt, dat briefje?' vroeg Daan nieuwsgierig.
'Gewoon,' zei Eva. 'In m'n mouw.'
Ze groef het briefje op.
'Wat stond er eigenlijk in?' wou Jochem weten.
'Niks bijzonders,' zei Daan haastig, maar Jochem had het al uit Eva's vingers gegrist.
'Vanmiddag moet met twéé d's,' zei hij.
'O ja?' zei Eva.
'Weet je dat niet?' vroeg Jochem verbaasd.
'Ik help je ook wel met de spelling, als je wilt,' zei Daan.
'Nee, dat weet ik niet,' zei Eva. 'Ik heb nooit Nederlands gehad op school. Ik heb in Engeland gewoond.'
'In Engeland!' Jochem was zichtbaar onder de indruk. 'Spreek jij dan Engels?'
'Nogal wiedes,' zei Daan nuchter. 'Als je in Engeland woont, spreek je Engels.'
'Ik was daar op een school met alleen maar meisjes,' legde Eva uit. 'Vreselijk, joh! We moesten een schooluniform aan, en er mocht haast niks. Dus ik ga nou m'n schade eens lekker inhalen. Ik heb best zin om de boel eens flink op stelten te zetten. Ik heb gehoord dat ze hier lang zo gauw niet straf g...'
'Sst!' siste Jochem. 'D'r komt iemand aan. De wc's in!'
Ze vlogen naar de overkant van de gang en doken de toiletruimte in. Jochem legde zijn vinger op zijn lippen. De voetstappen kwa-

men dichterbij. Behoedzaam gluurde Jochem door het ruitje in de deur. Hij dook in elkaar alsof er op hem geschoten werd. ’t Is Graafstra!’
Met ingehouden adem wachtten ze tot de voetstappen wegstierven.
‘Pff,’ zei Daan.
‘Wie is dat, Graafstra?’ fluisterde Eva.
‘Het hoofd,’ zei Daan.
‘O ja, die heb ik gezien,’ zei Eva.
Jochem kneep zijn neus dicht en snerpte: ‘Zo jongelui, hebb’n jullie weer de beest uitgehang’n? Je weet waddat betekent, ja? Op de gang: honderd regels, in de toilett’n: tvééhonderd!’
Eva hikte van het lachen. ‘Zo praat-ie precies!’
‘Tis ’n grunninger,’ neuzelde Jochem.
‘Een wát?’ gierde Eva.
‘Een Groninger,’ zei Jochem. ‘Daar praat’n ze all’maal zo.’
‘Stil!’ zei Daan. ‘Daar heb je ’m weer!’
Ze doken.
‘Zou die het heen en weer hebben?’ mompelde Jochem.
Eva zag paars. Ze propte haar vuist in haar mond, maar het hielp niet. Ze hikte benauwd, en de deur vloog open.
‘Zo, jongelui!’ snerpte meester Graafstra. ‘De beest uitgehang’n, ja?’
Eva barstte los in fris geschater. De tranen liepen over haar wangen.
Ze trekt zich nergens iets van aan, dacht Daan. Da’s ook een ijskouwe!
‘Nog lach’n ook?’ tierde Graafstra. Plotseling keek hij opmerkzaam naar Eva. ‘Jij ziddoch pas op deze school?’
Eva veegde haar tranen weg. ‘Sinds gisteren, meneer.’
‘En nu al op de gang staan en in de toilett’n rondhang’n.’
Meester Graafstra schudde zijn hoofd. ‘Tis fraai. Tvééhonderd regels. Morg’n inlever’n.’

Hij beende weg.
'Shit,' zei Daan.
'Spreek jij ook Engels?' lachte Eva.
'Morg'n breng'n,' mompelde Jochem.
Toen kwam gelukkig meester Neteman kijken of ze waren afgekoeld.

5

Een beetje zenuwachtig stond Daan op de stoep van het Kasteel. Zou Eva's moeder opendoen? En wat moest hij dan zeggen? Hij trok aan de bel, die ding-dongde, en klemde zijn taalboek steviger onder zijn arm. Hij keek langs zijn jack naar beneden. Schone spijkerbroek, gepoetste schoenen.
De schoenpoets was helemaal ingedroogd, zo weinig gebruikte hij het, en zijn moeder had gevraagd of hij dacht bij de koningin op visite te gaan. Maar Daan had zo'n idee dat het wel eens in zijn voordeel zou kunnen zijn om er netjes uit te zien.
De deur ging open.
'Hallo,' zei Eva. 'Kom erin.'
'Hoi,' zei Daan. Geen moeder. Opgelucht stapte hij over de drempel.
'Hang je jas hier maar op.' Eva gebaarde naar een kapstok.
Daan trok zijn jack uit en keek om zich heen. Een hal als een kerk. Marmer op de vloer, houten betimmering, een hertenkop tegen de muur! Zijn hart sprong op.
'Spookt het hier?' vroeg hij gretig.
'Spoken?' Eva keek hem aan of ze spoken zág.
'Een familiespook,' zei Daan. 'Je weet wel, een vermoorde voorvader.' Hij liet zijn stem luguber dalen. 'Wiens geest al eeuwenlang geen rust kan vinden.'
'Idioot!' lachte Eva. 'Sorry, geen spook. Ga je mee, even met mijn moeder kennismaken?'
Die ken ik toch al, dacht Daan, maar sjokte braaf achter haar aan. Eva gooide een deur open. 'Mama, hier is Daan.'
Daan stuntelde naar binnen. Mevrouw Van Tuil rees op uit een

witleren stoel. De hele kamer was wit, zag Daan. Witte bank, witte stoelen, wit tapijt, witte wanden. In de hoek een palm die tot het plafond reikte. 't Leek wel Kerstmis.
'Dag, eh, Daan,' zei Eva's moeder.
Ze droeg een spijkerbroek, zag Daan tot zijn verrassing. Maar wel een heel nette, en met een sjieke wijde bloes erboven. Ze stak een hand uit met glanzend rood gelakte nagels. Kleurt goed bij haar auto, dacht Daan, en hield zijn gezicht in de plooi. Hij moest wel normáál blijven doen. Eva woonde alleen wat, uh, groter.
'Daan Koning,' zei hij, en pakte de hand voorzichtig beet.
'Ook wel Koning Daan genoemd,' zei Eva.
Daan keek nijdig, maar Eva's moeder lachte. Daar werd ze móói van, ontdekte Daan. Ze ging ervan op Eva lijken.
De lach verdween en ze was weer p-en-p.
'Ik vind het aardig van je dat je Eva een handje wilt helpen met Nederlands. Ben je zelf goed in taal?'
Daan haalde zijn schouders op. 'Gaat nogal,' mompelde hij bescheiden.
'Hij is hartstikke goed, mama!' zei Eva. 'Ik heb z'n taalschrift gezien. Haast allemaal tienen.'
De smalle wenkbrauwen fronsten. 'Geen hartstikke, Eva.'
Jéminee, dacht Daan, die Eva hartgrondig had horen vloeken boven haar strafregels. Dat mens is niet van deze wereld!
Eva knipoogde. 'Ga je mee naar boven?'
'Ik zal straks thee laten brengen,' zei mevrouw Van Tuil.
Ze kregen een knikje.
Ingerukt mars, dacht Daan. Hij draaide zich om, zag in de gauwigheid nog een enorme bos rozen in een vaas staan. Ook wit.

Toen hij achter Eva aan naar boven liep over een trap die breed genoeg was om met z'n vieren naast elkaar te lopen, had hij moeite zijn lachen in te houden. Thee láten brengen!

‘Hebben jullie een dienstmeisje?’ vroeg hij. Hij had het gevoel dat hij nou álles kon verwachten.
‘Een huishoudster,’ zei Eva. Ze scheen iets van zijn verbazing te merken.
‘Mijn moeder is niet zo sterk.’ Ze deed een deur open. ‘Vindt ze zelf,’ voegde ze eraan toe.
Daan stapte over een verse drempel. Weer zo’n zaal. Allemachtig, daar kon hun hele flat uit gesneden worden! Hij keek om zich heen. Witte kasten, tv, platenspeler, lage blauwe stoeltjes, blauwe gordijnen. Op het bed een knots van een speelgoedbeer met een domme grijns om zijn mond.
Daan besloot zich niet te laten inpakken.
‘Aardige kamer,’ zei hij achteloos.
‘Vind je?’ vroeg Eva verheugd. ‘Ik mocht alles zelf uitkiezen. ’t Is wel leuk geworden, hè?’
‘Ja,’ zei Daan. ‘En ruim. Zéér ruim.’
Eva lachte. ‘Ik zit ook meestal hier, hoor. M’n vader is haast altijd op reis, en m’n moeder is overdag nooit thuis.’
Dat klonk vertrouwd.
‘Werkt ze?’
‘Wérken?’ Eva keek alsof ze niet wist hoe ze het woord moest spellen. Weet ze waarschijnlijk ook niet, dacht Daan.
‘Ja,’ zei hij. ‘Is dat zo gek? Mijn moeder werkt ook. Vijf dagen per week.’
‘Mijn moeder gaat vijf dagen per week uit,’ zei Eva.
O.
‘En je vader?’ informeerde Daan.
‘Mijn vader,’ zei Eva. Haar gezicht klaarde op. ‘Mijn vader werkt wél, natuurlijk. Hij zit in de scheepvaart.’
‘Mijn opa heeft ook gevaren,’ zei Daan.
Eva giechelde.
‘Mijn vader váárt niet. Die wordt al zeeziek als hij in een roeiboot

zit. Hij is directeur van een scheepvaartmaatschappij. Daarom moet hij ook zo vaak op reis, snap je?'
Nou, eigenlijk niet. Daan had geen flauw idee wat directeuren van scheepvaartmaatschappijen uitvoerden.
'Zit hij dan niet gewoon op kantoor?'
'Jawel, ook wel,' zei Eva. 'Maar hij is bezig nieuwe kantoren op te zetten. In Amsterdam is er nu een, en er komt er een in Zuid-Amerika, en ik geloof ook in Singapore. Ik weet het ook niet allemaal zo precies, hoor. Maar hij vliegt de halve wereld rond.'
Zuid-Amerika... Singapore... Voor Daan waren dat namen uit een boek. Hij had zelf nog nooit gevlogen. En Eva praatte erover alsof het heel gewoon was.
'Is je moeder daarom zo vaak weg?' vroeg hij. 'Omdat ze je vader mist?'
Eva lachte schamper. 'Ze kan gewoon niet thuiszitten. Ze is eeuwig onderweg. Winkelen, of naar de kapper, of naar vriendinnen. In Engeland deed ze dat ook. Ik dacht dat het hier wel anders zou worden, want zíj wilde graag terug naar Nederland. Maar niks hoor.'
'Geen wuifmoeder,' zei Daan begrijpend.
'Wuifmoeder?'
'Zo noem ik dat altijd,' zei Daan. Hij grinnikte verlegen. 'Een wuifmoeder is zo'n moeder die je nawuift als je naar school gaat. En die met thee klaarzit als je thuiskomt. Jochem heeft zo'n moeder. Daar zijn ze met z'n zessen, en als ze pannenkoeken willen eten, dan staat ze rustig een halve meter te bakken.' Hij lachte. 'En dan eet ze zelf de meeste.'
Eva knikte. 'Heb jij een wuifmoeder?'
'Nnja,' zei Daan. 'Als ze thuis was, zou ze wuiven. Maar ze is heel anders dan Jochems moeder, hoor. Ze is meer, eh, ze loopt niet altijd te emmeren over schone nagels en dat je je best moet doen op school, weet je wel? Ze is meer een soort vriendin, eigenlijk.'

Hij bloosde. Klonk dat niet stom?
Maar Eva lachte niet.
'Dat bedoel ik nou,' zei ze. 'Mijn moeder... Ze probéért het soms wel, hoor. Dan neemt ze me mee de stad in om kleren te kopen, en dan mag ik alles hebben wat ik aanwijs. Dat is wel leuk, natuurlijk, maarre...'
Ze zweeg, rolde een haarlok op en weer af.
'Ach, wat kan het mij ook schelen,' zei ze toen.
'Mijn moeder is er ook haast nooit,' zei Daan in een poging om haar op te beuren. 'Daar heb ik ook wel eens de smoor over in.'
'Ja, maar dat is heel wat anders,' zei Eva kortaf.
Daan knikte; hij kon het moeilijk ontkennen.
'Maar vind jij het dan wel leuk hier?' vroeg hij. 'In de klas heb je nog geen vriendinnen, hè?'
Eva haalde haar schouders op.
'Ik vind Maaike heel aardig, maar die is al vriendin met Inger. En Saskia is een bekakte trut.'
Daan grinnikte.
Saskia had pogingen gedaan om bij Eva in de gunst te komen. Maar Eva had duidelijk laten merken dat ze niks van haar moest hebben, en daarna was de liefde omgeslagen in nijd.
'Trouwens,' zei Eva, 'ik heb voorlopig wel genoeg van meisjes. Die zwammen alleen over kleren en make-up. Of ze spelen met poppen!'
Haar gezicht vertrok van afgrijzen, en Daan lachte opnieuw.
'Zullen we dan maar?' vroeg hij.
Hij vond Eva een tof kind, maar hoe eerder hij hier weg was, hoe liever. Het was net of hij in een film meespeelde. Die meubelshowroom beneden, die moeder die op wel drie filmsterren tegelijk leek, tapijten die aanvoelden alsof je op drijfzand liep. Zelfs Eva leek hier anders. Op school was ze gewoon een meisje in een spijkerbroek. Hier had ze iets waar hij geen woord voor wist.

Ze gingen zitten, en Daan sloeg zijn taalboek open.
'Kijk,' wees hij. 'Als we nou hier beginnen. De man slaat de hond met een stok. Wat is dan het gezegde?'
Eva fronste. 'Slaat?'
Dat viel mee.
'Jep,' zei Daan. 'Onderwerp?'
'Uh... de man?' weifelde Eva.
Daan knikte. 'Wat is dan het lijdend voorwerp?'
Eva lachte. 'De hond natuurlijk!'
'Hoezo natuurlijk?' controleerde Daan.
'Nou,' zei Eva. 'Díe wordt toch geslagen? Logisch dat die het lijdend voorwerp is.'
Daan schoot in de lach.
'Niet goed?' vroeg Eva teleurgesteld.
'Wél goed,' zei Daan. 'Maar hij is niet lijdend voorwerp omdat-ie geslágen wordt, maar omdat...'
Verhip, hoe legde je dat uit?
'Omdat hij de handeling ondergáát,' zei hij. Keurig Daan, je kan zó de Luis vervangen.
Eva knikte.
'Volgende,' zei Daan. Hij dacht aan 'vanmidag'.
'Schrijf die maar op, dan kan ik meteen zien of je het goed doet. De brief wordt door de postbode bezorgd.'
Eva schreef, duwde hem haar schrift onder de neus.
'De brief wort door de postbode bezorgt', stond er.
Daan schudde verbaasd zijn hoofd.
'Je kan het echt niet, hè?'
'Fout?' vroeg Eva benepen.
'Hartstikke fout,' zei Daan, en toen lachten ze allebei.

Een uur later schoof Eva met een zucht haar schrift weg.
'Zullen we stoppen? Ik word er onderhand draaierig van.'

'Okee,' zei Daan. 'Maar het gaat best goed, joh. Je zal zien dat je zó bij bent.'
'Zou je denken?' twijfelde Eva.
'Tuurlijk,' zei Daan hartelijk. 'Zó stom ben je niet.'
Eva boog spottend. 'Dank je.'
Daan stond op.
'Ga je nou al weg?' vroeg Eva teleurgesteld.
'Thuis nog wat te doen,' mompelde Daan.
Hij vond dat hij zich voor vandaag wel genoeg had uitgesloofd. En bovendien was hij halverwege een superspannend boek. Hij had zin om lekker op de bank te liggen, en het in één ruk uit te lezen.
'Maar je hebt nog niet eens thee gehad,' drong Eva aan.
Daan boorde zijn hakken in het tapijt.
'Je moeder is tóch niet thuis,' zei Eva slim. 'En er is zo meteen een goeie film op televisie.'
Daan groef zijn hakken weer los. 'Goed dan.'
Verwonderd zag hij hoe Eva's gezicht begon te stralen.
'Ben zo terug,' zei ze, en roffelde de trap af.
Ze had er de pest aan om alleen te zitten, begreep Daan.
Hij keek de veel te grote, veel te mooie kamer nog eens rond.
Dacht aan zijn eigen hokje, thuis, en wou niet ruilen.
Voor geen miljoen.

6

'Neem je Eva ook eens mee hiernaartoe, Daan?'
Het was zondag, en zijn moeder stond de kamer te witten. Alle meubels waren bedekt met ouwe lakens, en op de vloer lagen kranten. Daan had huiswerk zitten maken op zijn kamer, en nu stond hij klaar om naar het Kasteel te gaan. Eva had opgebeld: ze verveelde zich rot, en of hij zin had om te komen?
'Als ze wil,' zei hij weifelig.
'Waarom zou ze niet willen?'
'Weet niet,' zei Daan.
Zijn moeder keek hem onderzoekend aan. 'Je krijgt toch geen schele ogen van al die luxe daar, Daan?'
'Nee,' zei Daan verontwaardigd. 'Hoe kom je d'r bij!'
'Ik dacht zo,' zei zijn moeder.
'Flauwekul,' zei Daan.
'Waarom komt ze dan niet hier?' vroeg zijn moeder.
'Omdat ik het niet gevraagd heb,' zei Daan logisch.
Zijn moeder stak een sigaret op en streek met een witte hand door haar haren. Daan herkende de symptomen. Ze ging er Geen Punt van maken.
'Kijk eens, Daan,' zei zijn moeder. 'Ik wil er geen punt van maken, maar ik vind het een beetje raar dat jij de deur platloopt daar, terwijl dat meisje hier nog nooit geweest is.'
'Jij bent toch nooit thuis?' weerlegde Daan.
Zijn moeder kon ook logisch denken. 'Háár moeder toch ook niet?'
'Zeur nou niet zo!' zei Daan kribbig. 'Ik neem haar een andere keer wel eens mee. Doei!'

Hij draaide zich om en liep naar de deur. Een kleverige verfhand in zijn nek draaide hem terug.
'Wil je mijn mening horen?' vroeg zijn moeder.
Dat wou hij niet, maar hij begreep dat er niet aan te ontkomen viel.
'Nou?' zei hij stuurs.
'De afgelopen weken heb jij daar bijna dagelijks gezeten,' zei zijn moeder. 'En ik denk...'
'Dagelijks!' stoof Daan op.
'Dagelijks,' zei zijn moeder.
'Ze kent toch nog niemand?' zei Daan. 'En ik help haar toch met taal en alles?'
'Kan best wezen,' zei zijn moeder. 'Maar ik denk dat dat juffertje geen zin heeft om uit haar ivoren toren te komen. Ik denk dat ze het wel leuk en aardig vindt dat je haar helpt, maar...'
'Niet!' riep Daan woedend. 'Zo is Eva helemaal niet!'
'Bel haar dan maar op,' zei zijn moeder rustig. 'En vraag of ze hier komt.'
'Best!' schreeuwde Daan. 'Kan ze tussen de potten verf zitten. Op een krant! Gezellig!'
'Wat zou dat? Jullie kunnen best meehelpen,' zei zijn moeder. 'Zeg maar dat ze een ouwe broek aantrekt.'
Daan stampte naar de telefoon, prikte met nijdige vingers Eva's nummer.
'Met Eva van Tuil,' zei Eva.
'Daan,' zei Daan bot. 'Heb je zin om hier te komen? We zijn aan het witten.'
Hij hoorde zijn moeder snuiven bij dat 'we'.
'Even vragen,' zei Eva.
Daan wachtte. Het duurde lang. Zijn moeders ogen prikten in zijn rug. Hij bewoog onrustig.
'Ben je daar nog?' vroeg Eva.

'Jep,' zei Daan.
'Ik kom eraan,' zei Eva.
'Trek ouwe...' begon Daan. Tuut-tuut-tuut.
Nou ja, dan bond ze maar de een of andere lap voor.
Triomfantelijk draaide hij zich om. 'Ze komt! Zie je nou wel?'
Zijn moeder lachte. 'Zo sta ik alléén te witten, zo heb ik twee hulpjes,' zei ze. Ze trok hem aan zijn oor.
'Mag ik je even knuffelen?' vroeg ze beleefd.
'Moet dat?' bromde Daan.
Zijn moeder trok hem naar zich toe. 'Ja, dat moet.'
Ze sloeg een arm om hem heen, fluisterde in zijn oor: ''t Is alleen... ik wil niet dat je bezeerd wordt, Daan.'
Daan wurmde zich los. 'Weet ik wel.'
Hij klopte haar op haar witbespikkelde hoofd, maakte haar krullen in de war.
'Is het zo goed?'
'Nou kan ik er weer even tegen,' zei zijn moeder. Ze greep de kwast.
'Is ze aardig, Daan?'
Daan bloosde. 'Nogal. Maar je gaat niet klieren, hoor!'
'Nee,' beloofde zijn moeder, en morste verf op het kozijn.

'U studeert Engels, hè mevrouw?'
Eva stond op de trap en schilderde enthousiast haar deel van de muur. Ze had een overhemd van haar vader aan, dat tot haar knieën reikte.
Daans moeder schonk cola in. 'Zeg maar Iris. Ik ben niet zo mevrouwig. Ik doe een lerarenopleiding, laatste jaar.'
'Wilt u, wil je lerares worden?' vroeg Eva.
Daans moeder knikte. 'Ik werk nu in een bloemenwinkel. Leuk werk, maar niet iets wat je je hele leven wilt doen. Dus ben ik hiermee begonnen. Ik hou van kinderen. En van Engels.'
Eva streek haar kwast af.

'Gaat... ga je vaak naar Engeland?'
Daans moeder schudde haar hoofd. 'Het zou wel moeten, maar ik heb er het geld niet voor. Jij hebt in Engeland gewoond, hè?'
'In Londen,' zei Eva. Ze rolde een afzakkende mouw op. 'En daarvóór in Liverpool. En dáárvoor in Amsterdam. Maar toen was ik nog klein. Daar weet ik niks meer van.'
Daans moeder kreeg een nadenkende blik in haar ogen.
'Spreek je goed Engels?'
Eva lachte. 'Perfectly. Would you like to speak English?'
Daans moeder begon te stralen. Ze ratelde een Engelse volzin, en nog een, en nóg een. Eva ratelde even snel terug. Toen schudden ze elkaar plechtig de hand.
Daan stond er verbaasd naar te kijken.
'Waar hébben jullie het over?'
'Eva en ik spreken net af om zoveel mogelijk Engels tegen elkaar te kletsen,' legde zijn moeder uit. 'Zij vindt het leuk, en voor mij is het natuurlijk heel goed.'
'Drink your coke, dear,' zei ze tegen Eva.
'Mooie boel,' mopperde Daan. 'Daar versta ik dus geen klap van.'
Maar ze hoorden hem niet eens. Het yes en no vloog hem om de oren, en mistroostig kwastte hij verder. Leuk hoor. Kwam ze nou voor hem of voor zijn moeder?

Om vijf uur spoelden ze hun kwasten uit onder de kraan.
'Het is mooi wit geworden, hè?' zei Eva.
'Mmm,' zei Daans moeder. Ze strekte haar krakende rug. 'Het dekt niet echt goed. Ik denk eigenlijk dat het nog een keer moet.'
Daan kreunde.
'Leuk!' riep Eva geestdriftig. 'Mag ik dan weer helpen?'
Daans moeder verdeelde het laatste restje cola.
'Natuurlijk, kind. Je bent altijd welkom.'
Eendrachtig zonken ze neer op de ouwe lakens. Daan trok een zak

chips open, en stortte de inhoud op een schone krant op de vloer.
'Ik barst van de honger.'
Eva greep een handvol chips en propte ze in haar mond.
'Gezéllig is het hier,' zei ze zielstevreden.

's Avonds, boven de afhaalloempia's, zei zijn moeder: 'Ze is lief, hè Daan?'
'Zei ik toch,' zei Daan, en keek alsof hij daar persoonlijk voor gezorgd had.

7

Ze stonden op het schoolplein hun proefwerken te vergelijken. Geschiedenis. Ze hadden allebei een acht.

'Niet gek, hè?' vond Eva.

'Jammer dat ik niet meer wist dat een forum een plein is,' zei Daan. 'Nou ja, een acht is ook niet slecht.'

'Ga je nog mee?' vroeg Eva. 'Ik sta hier te vernikkelen.'

'Nee,' zei Daan. 'Ik moet even naar m'n opa. Vragen of hij met Kerstmis komt eten. Heb je zin om mee te gaan?'

'Vindt je opa dat wel leuk?' weifelde Eva.

'Tuurlijk wel,' zei Daan verbaasd. 'Waarom niet?'

'Hoe oud is je opa?' vroeg Eva.

'Ik weet niet precies,' zei Daan vaag. 'Zeventig of zo, geloof ik. Hij woont in een bejaardenhuis. Dat wou-ie niet, maar hij moest wel, want hij is hartstikke ziek geweest, dus toen kon hij niet goed voor zichzelf zorgen. En mijn moeder was bang dat ze hem nog eens dood zouden vinden.'

'Jasses,' griezelde Eva.

'Nou ja,' zei Daan. 'Dat lees je toch wel eens in de krant? Dan liggen ze daar al w...'

'Hou nou op,' riep Eva. 'Waar woont hij dan?'

'In Zonnegloren,' zei Daan. Hij lachte. 'Zelf noemt hij het Avondrood.'

'En je oma?'

'Die is dood,' zei Daan. 'Al een paar jaar.'

'Zullen we gaan rennen?' zei Eva. 'Ik besterf het zowat.'

‘Naar mijn huis,’ zei Daan. ‘Eerst m’n sportspullen even thuisbrengen. Het is toch vlakbij.’
Ze renden. Daan won.
‘Kunst!’ hijgde Eva. ‘Met die lange stelten van je!’
‘Ik ben al twee centimeter langer dan m’n moeder,’ zei Daan tevreden.
Achter elkaar klommen ze de trappen op. In het halletje gooide Daan zijn tas in een hoek.
‘Mag ik je kamer eens zien?’ vroeg Eva.
‘Kom maar mee,’ zei Daan. Hij duwde de deur van zijn kamertje open.
‘’t Is wel een beetje een bende, hoor.’
‘Geeft toch niks,’ zei Eva. Ze liep naar het raam en keek naar beneden. ‘Jasses, wat hoog! Is er wel eens iemand naar beneden gevallen?’
Daan schoot in de lach. ‘Niet dat ik weet.’
Eva duwde haar neus tegen het glas. ‘Jammer, ik dacht dat je van hieruit ons huis kon zien, maar die andere flats staan te ver naar voren. Anders hadden we ’s avonds kunnen seinen met een zaklantaarn.’
‘Wat had je willen seinen?’ vroeg Daan nuchter.
‘Weet ik veel,’ zei Eva. ‘Geheime boodschappen. Of huiswerk, nog beter! Dan kon jij mooi de dictees overseinen.’
Ze pakte een van Daans fossielen uit de vensterbank.
‘Wat is dit?’
‘Een fossiel,’ zei Daan. ‘Die andere stenen ook.’
‘Dat zijn dieren, hè?’ vroeg Eva.
‘Of planten,’ zei Daan. ‘Het zijn afdrukken van dieren of planten die in de aarde zijn versteend. Ze zijn heel oud, misschien wel miljoenen jaren.’
Eva bekeek het fossiel aandachtig.
‘Is dit dan een plant geweest?’

‘Een soort varen,’ wees Daan. ‘Varens hebben toch van die fijne blaadjes? Net veren. Kijk maar, je kunt het duidelijk zien.’
‘En verzamel jij die?’ informeerde Eva.
Daan knikte. ‘Ik wil graag een keer naar Frankrijk. Ik heb gelezen dat ze daar zowat voor het oprapen liggen. Ik heb er ook een boek over.’
‘Zie je?’ zei Eva triomfantelijk. ‘Dat bedoel ik nou! Jongens doen tenminste interessante dingen.’
Ze legde het fossiel terug en draaide zich om.
‘O, wat leuk, die muur! Is dat behang?’
‘Boekomslagen,’ zei Daan trots.
De korte muur van zijn kamer was van onder tot boven beplakt met boekomslagen. Alleen rechtsonder was nog een lege plek, maar daar had hij zijn bed voor geschoven.
Met haar handen op haar rug bekeek Eva de omslagen een voor een. Hier en daar las ze de achterflap, wees een omslag aan. ‘Die heb ik ook.’
Intussen gooide Daan razendsnel zijn bed dicht, schopte twee paar vuile sokken eronder en propte zijn pyjama onder z’n hoofdkussen. Hij plofte op het bed; zo kon het er wel mee door. Hij keek naar Eva.
Ze zat op haar hurken een omslag te lezen, en lachte hardop. Haar haren lagen zwart en glanzend op haar rug. De punten krulden een beetje.
Mooi haar heeft ze, dacht Daan. Ik wed dat het hartstikke zacht is.
Eva draaide zich om. ‘Heb je die boeken allemaal gelezen?’
‘De meeste wel.’ Daan wees naar zijn boekenplank, die dóórboog. ‘Maar ik vraag ook wel eens op de rommelmarkt of ik het omslag mag hebben, als ik geen geld heb om het boek te kopen.’
Eva ging naast hem zitten. Haar haren streken langs zijn wang. Ze roken naar... appels? Zoete appels.
‘...?’ zei ze.

'Hè?' vroeg Daan verward.
'Of ik thuis eens voor je zal kijken,' herhaalde Eva. 'Ik heb ook wel een paar Engelse, als je wilt.'
'Nou, graag,' zei Daan afwezig.
Ravenvleugels, dacht hij. Dat had hij eens gelezen. Haren, zwart als ravenvleugels. Ravenzwarte haren. Mooi klonk dat, net een gedicht. Het meisje met de ravenzw...
'Als we nog naar je opa willen, moeten we nu gaan,' zei het meisje met de ravenzwarte haren.

8

'Zo,' zei opa. 'En is dit je meissie, Daan?'
Hij gluurde olijk vanonder zijn pet naar Eva. Opa droeg altijd een pet, ook binnen.
Daan mompelde iets. Opa altijd met z'n lollige grapjes.
Maar Eva lachte. 'We zitten bij elkaar in de klas, meneer.'
'Zeg maar opa,' zei opa. 'En hoe heet jij, juffertje?'
'Eva van Tuil,' zei Eva.
Opa pompte haar hand op en neer alsof hij twee emmertjes water halen deed.
'Zo, dat is een prachtige naam, Eva. De oudste vrouwennaam die er is. Hebben jullie al thee gehad?'
Daan en Eva schudden nee.
'Thee,' besliste opa. Hij verdween in zijn keukentje. Met drie dampende mokken op een blaadje kwam hij terug.
Eva wees naar een houten scheepsmodel, dat half afgemaakt op tafel stond. 'Maakt u dat zelf?'
'Uit zijn hoofd,' zei Daan trots.
'Da's m'n ouwe schip,' zei opa. 'Ik ben er al een halfjaar mee bezig, want eerst klopte het niet. Maar nu heb ik een werktekening gemaakt waar alle maten op staan. Het moeilijkste is vanbinnen, natuurlijk, want alles moet erin. Daarom is het ook zo groot, snap je. Het schiet trouwens lekker op, Daan. Ik heb zelfs al gekeken naar verf, maar ik kan de goeie kleur groen niet vinden. Afijn, het heeft nog geen haast. Hoe is je moeder?'
'Best,' zei Daan. 'Druk met de studie. Je moet de groeten hebben. En of je tweede kerstdag komt eten.'

Opa's oogjes begonnen te glimmen. 'Rollade?'
'Zal wel,' zei Daan. 'Dat eten we toch altijd met Kerstmis?'
Opa wreef in zijn handen. 'En op eerste kerstdag krijgen we hier kalkoen. Nou jongen, mijn kerst kan niet meer stuk. Zeg maar tegen je moeder dat ik vroeg kom. Vóór de borrel.'
'O ja,' zei Daan. 'Ik moest ook nog vragen of oma De Vries weer mee komt.' Oma De Vries was een goeie vriendin van opa, met wie hij kaartte, wandelde en ruziemaakte, als dat zo uitkwam.
Opa schudde zijn hoofd.
'Die ligt in dok. Been gebroken. Daar is ze mooi klaar mee.'
'In dok?' vroeg Eva.
'In het ziekenhuis.' Daan was gewend aan opa's taalgebruik.
'Uitgegleden,' legde opa uit. 'Ze liep op de gang, en ze hadden net gedweild. Wap! daar lag ze. Bert heeft 'r gevonden, en die heeft meteen de dokter gebeld en alles. Dus en nou ligt ze plat. Zó'n gipspoot heeft ze! Als ze d'r nou zouden fusilleren, moesten ze d'r omdóuwen.'
Eva schaterde.
'Wie is Bert?' vroeg Daan. 'Een nieuwe bewoner?'
'Het nieuwe maatje,' zei opa. 'Hij onderhoudt de boel, en hij doet de tuin. Geschikte jongen, Bert. Hij doet voor ons ook wel eens wat. Boodschappies, en hij hangt es een lamp op. Je moet je thee opdrinken, juffertje, anders wordt het koud.'
Eva dronk gehoorzaam haar thee. Ze wees weer naar het schip.
'Maakt u ook scheepjes in flessen?'
'Nee,' zei opa. 'Schepen horen niet in flessen. Dat is van die souvenirrommel.' Hij snoof. 'Meed in Taiwan.'
'Hebt u lang gevaren?' vroeg Eva.
Opa knikte. Hij krabde nadenkend onder zijn pet. 'La's kijken. Vanaf mijn veertiende, dusse... vijftig jaar ongeveer. Ik ben begonnen als maatje, en toen ik met pensioen ging, was ik derde stuurman.'
'Op een vrachtschip of een passagiersschip?' wilde Eva weten.

'Op een vrachtschip,' zei opa. 'Op de wilde vaart. Ik was vaak wel een halfjaar van huis. Dat was wel een nadeel, natuurlijk. Maar 't is een mooi leven. Varen is het mooiste dat er bestaat.'
'Je mist het nog steeds, hè opa?' vroeg Daan.
Opa knikte. 'Als ik morgen terug kon, zat ik er vandááág.'
Hij krabde weer onder zijn pet en lachte.
'Maar ik ben nou een ouwe kerel tussen de ouwe kerels. Niks aan te doen. En 't is hier best, hoor, ik heb niks te klagen. Maar het is een heel verschil, hè? Er gebeurt nooit wat.'
Hij schoot rechtop. 'Nou lieg ik. Er is wel wat gebeurd. D'r is ingebroken!'
'Ingebroken? Bij wie?' vroeg Daan.
Opa ging er eens goed voor zitten.
'Vorige week woensdag, jongen. Bij opoe Roos, je weet wel.'
Daan knikte. Hij kende veel bewoners van Zonnegloren. Ouwe opa Baas, die al in de negentig was, en pruimde, de hooghartige mevrouw Versteeg, van wie hij alleen maar een genadig knikje kreeg, en opoe Roos natuurlijk ook. Ze was een beetje in de war, opoe Roos. Een beetje érg in de war. Ze zwierf vaak op de gangen rond, en zong oude kinderliedjes. Ze had altijd een stok bij zich, omdat ze per ongeluk wel eens omviel.
'Ik hoorde opeens een hoop geschreeuw op de gang,' zei opa. 'Maar ik zat net op eh...'
Hij keek schuin naar Eva.
Daan gniffelde. 'Had je weer bruine bonen gegeten?'
'Ja,' zei opa. 'Dinsdag is bruinebonendag, hè? Vaste prik.'
'Het was toch op woensdag?' vroeg Eva niet-begrijpend.
Opa schuifelde met zijn voeten.
'Janee, kijk, ik ben gek op bruine bonen. Héérlijk. En ik ben een flinke eter. Maarre, dan zit ik dus de volgende dag de halve dag op de wc, zie je? Want eigenlijk kan ik er niet zo best tegen.' Hij grinnikte verlegen. ''t Is wel een raar praatje.'

‘En toen?’ drong Daan aan.
‘Nou,’ zei opa. ‘Ik dus zo snel als ik kon op die herrie af, met wapperende bretels. Je hoorde opoe Roos boven alles uit. Eerst dachten we dat ze stond te raaskallen, maar ze hield bij hoog en bij laag vol dat haar medaillon gestolen was.’
‘Wat is dat, een medaillon?’ vroeg Daan.
‘Zo’n hanger die open kan,’ zei opa. ‘Er kan een fotootje in, bijvoorbeeld. Of een lok haar van een dierbare overledene. Opoe haar man zit erin. Op de foto dan. Ze heeft het vaak om, maar als ze een dutje doet, legt ze het af. Zo verstrooid kan ze niet wezen, of dat onthoudt ze wel. Nou, en ’t was weg. We hebben d’r hele kamer ondersteboven gehaald, maar niks. En geld miste ze ook. Haar portemonnee was ook pleite.’
‘Goh, wat zielig,’ zei Daan. ‘Is de politie geweest?’
‘Ja,’ zei opa. ‘Die hebben wat rondgekeken, en wat vragen gesteld. Maar ze konden niet veel doen, natuurlijk. En opoe Roos is helemaal van streek. Ze wil nog amper haar kamer uit, en ’s avonds barricadeert ze de deur.’
Daan schoot in de lach.
‘’t Is wáár hoor,’ zei opa. ‘Ze hebben ’s morgens de grootste moeite om haar weer uit te graven.’
‘Wat vals,’ zei Eva. ‘Wat een rotstreek om zo’n oud mensje te beroven. Wie doet zoiets nou? Was er een ruit ingeslagen?’
Opa schudde zijn hoofd. ‘Dat was nou juist het gekke. Volgens de politie was het een insaaid sjob.’
‘Een watte?’ vroeg Daan, maar Eva knikte begrijpend.
‘Een inside job. Dat betekent dat iemand die hier woont, of die hier goed bekend is, het gedaan moet hebben. Anders hadden ze wel sporen gevonden, snap je?’
Daan knikte geïmponeerd. ‘Wat betekent het precies?’
‘Inside job? Uh, een klus van binnenuit,’ zei Eva.
‘Dus,’ zei opa. ‘Ik heb besloten om m’n luiken goed open te hou-

den. Maar ’t is niet leuk, hoor. Het geeft een nare sfeer in huis. Iedereen loopt naar mekaar te gluren. En je kan het je van niemand indenken, hè? Die meissies hier, die zijn allemaal even lief, en ze werken als paarden, die gaan toch niet lopen jatten?’
‘Ja,’ zei Daan. ‘Dat kan ik me voorstellen. Bij ons op school is ook een paar keer gestolen. Uit jaszakken en zo. Rottig hoor.’
Hij stond op. ‘We moeten naar huis. Ga je mee, Eva?’
Eva gaf opa een hand.
‘Kom je eens weer mee, juffertje?’ vroeg opa. ‘Altijd goed, hoor.’
Bij de deur draaide Daan zich lachend om. ‘Pas maar op, opa! Straks beroven ze jou nog terwijl jij op de wc zit!’

9

Het was tweede kerstdag. Opa zat aan tafel met de krant, en loste de kerstpuzzel op. Daans moeder was in de keuken met het eten bezig. De flat rook naar gebraden vlees. Lekker, vond Daan.
Hij pikte een chocoladekransje uit de kerstboom en keek uit het raam. Het had geijzeld, en het was spekglad buiten. De iepen aan de overkant waren geglazuurd met een glinsterend ijslaagje.
Zou hij alvast aan zijn nieuwe boek beginnen? Nog maar niet, besloot hij. Nog even bewaren, anders had-ie het morgen al uit, en de vakantie was nog maar net begonnen.
Wat zou Eva doen?
Haar vader zou thuiskomen met Kerstmis. Met een stralend gezicht had ze het verteld. Hij zou drie weken blijven, daarna moest hij weer op reis. Naar Zuid-Amerika, zei Eva.
Leuk baantje, directeur, dacht Daan. Zou mij ook wel lijken. Dan zie je nog eens wat van de wereld.
Hij pikte nog een kransje. Zijn zesde al, vandaag. Hij plukte ze nu aan de achterkant uit de boom, dan viel het niet zo op. Hij leunde over opa's schouder.
'Lukt het, opa?'
'Mmm,' bromde opa Hij krabde met de pen onder zijn pet. 'Onaangenaam mens, vijf letters. Wat kan dat nou wezen?'
'Hufter,' zei Daan.
'Da's zes,' zei opa. 'En 't begint trouwens met een n. Eens kijken wat zevenendertig verticaal is. Plaats in Gelderland, drie letters.'
'Ede of Epe,' zei Daans moeder, die binnenkwam met thee. Ze zet-

te het blad neer en streek haar speciaal voor Kerstmis gekochte rok glad.
'Opgedirkt vrouwspersoon,' mompelde opa.
'Nou zeg!' zei Daans moeder beledigd.
'Zes letters,' piekerde opa. 'Wacht, ik weet het al. Troela. Tjonge, nou, die puzzelredacteur had zeker een vrolijke bui.'
Daans moeder schonk thee in. 'Misschien zat er een fles wijn in z'n kerstpakket. O ja, over wijn gesproken, zo meteen komt mevrouw Bals een kopje thee drinken.'
'Zet de jenever dan maar achter slot en grendel,' waarschuwde opa.
Daan lachte. Mevrouw Bals hield wel van een glaasje. Ze zei dat dat hielp om de eenzaamheid te verdrijven. Opa noemde haar hardnekkig mevrouw Bols.
'Blijft ze eten?' vroeg opa wantrouwig.
Zijn dochter keek schuldig.
'Diner met spataderen,' mompelde opa. "t Lijkt hier het Leger des Heils wel.'
'Kom pa,' zei Daans moeder. 'Dat meen je niet. Dat mensje is ook maar alleen, die wil ook wel eens wat aanspraak. En je gedráágt je hoor, als ze er is. Blijf jij nou maar lekker met je puzzel bezig, en laat mij het woord maar doen.'
'Als je ertussen kan komen tenminste,' zei opa. Hij gaf Daan een vette knipoog. 'Ik zal me nergens mee bemoeien,' beloofde hij.
De bel ging.
'Daar heb je d'r al.'

Puffend en blazend stapte mevrouw Bals de gang in. Ze torste een kerststukje met veel rooie paddestoelen, en ze was op pantoffels. Kapotte pantoffels.
Onder haar arm stak een fles wijn.
'Dag Daan jongen!' hijgde ze. 'Daar ben ik dan. Hè hè. Die trap dat is me wat. Is je moeder binnen?'

Zonder op antwoord te wachten rolde ze de kamer in.
't Is net een tank, dacht Daan grijnzend. Ze wordt met de dag dikker, straks ploft ze nog.
'Dag mop,' zei mevrouw Bals tegen zijn moeder. 'Hier, dat is voor jullie, staat gezellig op tafel. En ook nog wat onder de kurk. O, dag meneer, ik had u nog niet eens gezien!'
'Dag mevrouw Bols,' zei opa. Daans moeder schopte achteruit, maar miste.
'Dank u wel, wat aardig van u. Ga lekker zitten. Een kopje thee?'
Mevrouw Bals wilde graag een kopje thee.
'O, dank je wel, een stukkie stol ook nog erbij, dat gaat er altijd wel in, hè? Als mens alleen koop je dat niet. Ik hoop niet dat je het erg vindt dat ik me pantoffels heb aangehouwen, met het oog op me voeten, zie je? Ik dacht, ik hoef toch alleen de trap maar effe op.'
Opa ritselde met de krant.
'U mag wel eens nieuwe kopen,' wees Daan.
In allebei de pantoffels zat een gat aan de zijkant.
'Dat bedoel ik net,' legde mevrouw Bals uit. 'Die gaten knip ik er zelf in. Ik moet wel, want me tenen groeien helemaal scheef. Ik kan geen schoenen meer an.'
Ze wurmde een pantoffel uit en stak haar voet naar voren.
Daan keek er geboeid naar. De grote teen wou linksaf, en aan de zijkant van de voet groeide een dikke knobbel. Jeminee, als ze die voeten naast elkaar zette, dan maakten haar grote tenen het V-teken.
'U moet daar wat aan laten doen,' vond zijn moeder. 'Ze kunnen die tenen best rechtzetten, hoor. En u moet toch ook aan uw eh, spataderen geholpen worden?'
Opa trok zijn pet diep over zijn ogen, en boog zich vol aandacht over de krant.
'Mij niet gezien!' schrok mevrouw Bals. 'An mijn lijf geen polo-

naise. Ik zie me al in het gasthuis leggen. Niks hoor, d'r wordt aan mij niet gepeuterd, ik ga zó ook wel dood.'
'Zal ik een keertje met u meegaan naar de dokter?' bood Daans moeder aan. 'Eens horen wat die ervan zegt?'
Mevrouw Bals keek zuinig.
'We zien wel,' zei ze vaag. 'Wat heb je 'n knappe boom staan, kind. Van de markt zeker?'
Daans moeder knikte, en mevrouw Bals ratelde opgewekt verder. Na het tweede kopje thee sloop Daan met tuitende oren naar de tafel.
'Zal ik je helpen, opa?'
'En toen zeg ik tegen Sjanet, Sjanet zeg ik, doe dat nou niet, daar komme ongelukken van nooit je ouwe stiefels weggooien voor je nieuwe hebt zeg ik maar ze zit daar met drie kleine koters op een bovenhuis moet je rekenen die kinderen kunnen geen geluid maken of de buren staan te klagen en die vent van d'r is een miskoop dus ik ken 't me ook wel begrijpen, van Sjanet, maar wat ze nou...'
Opa grijnsde van oor tot oor. Daan grijnsde terug. Samen bogen ze zich over de puzzel.

Een uur later schoof opa de krant van zich af. 'Nou weet ik nóg niet wat een onaangenaam mens is, verdikkeme.'
Uit de keuken klonk gerammel van pannen en gegiechel. Daans moeder kwam de kamer binnen met een stapel borden.
'Zullen wij samen de tafel alvast dekken, Daan? De kaarsen liggen in het keukenkastje linksboven.'
Daan stond op.
'Er is een kleine wijziging in het menu,' kondigde zijn moeder aan. Ze liet haar stem dalen tot een geheimzinnig gefluister. 'Het ijs wordt helaas niet geflambeerd. Mevrouw Bals heeft de cognac opgedronken.'
'Shit,' zei opa modern.

10

Met een zucht van tevredenheid legde Daan zijn lepel neer.
'Lekker, mam, maar nou kan ik niet meer. Ik plof bijna.'
'Zeg, matig je wat,' zei zijn moeder. Ze keek de tafel rond. 'Jij nog wat ijs, pa?'
'Nee meid, dank je,' zei opa. Hij knoopte zijn servet los, dat hij als een grote slab om zijn nek had gebonden.
'Het was heerlijk, werkelijk heerlijk. Een volgende keer moet je het eens flamberen, dat schijnt iets heel bijzonders te zijn.'
Daans moeder wierp hem een blik toe waarmee ze een gat in het tafellaken had kunnen branden. 'Pa!'
Opa grinnikte goedgemutst. 'Geintje.'
'Wilt u nog wat ijs, mevrouw Bals?' vroeg Daans moeder.
'Nee kind,' steunde mevrouw Bals. Ze leunde amechtig achterover in haar stoel. 'Het zou me dóód worden, 't is zonde dat ik het zeg.'
'Koffie,' besliste Daans moeder. 'Help jij even met afruimen, Daan?'
Daan wilde opstaan, maar opa gaf plotseling een dreun op de tafel dat de kaarsen ervan flakkerden.
'Nou vergeet ik 't nóg, verdorie! Er is wéér ingebroken!'
Daan zakte terug op zijn stoel. 'Jee, opa, bij wie nóu weer?'
Opa wuifde zijn dochter terug naar haar stoel.
'Ga jij ook nog even zitten, Iris. Die koffie wacht wel.'
'Bij wie, opa?' herhaalde Daan.
'Bij de ouwe Baas,' zei opa, die iedereen in Zonnegloren oud vond, behalve zichzelf.
'En brutáál, hoor. Want ik noem het nou wel inbraak, maar dat was het niet. Ouwe Baas zat in z'n stoel te knikkebollen, en toen is

er iemand doodgemoedereerd naar binnen gewandeld. Zijn portefeuille lag op het buffet, dus het was een makkie. Hij had het 's middags pas in de gaten, toen-ie tabak wou gaan kopen.'
''t Is toch wat,' riep mevrouw Bals. 'Ze snijen je tegenwoordig voor een habbekrats je strot af!'
'Zat er veel in?' wilde Daan weten.
Opa schudde zijn hoofd.
'Een paar tientjes. De rest had hij goed weggeborgen.'
Hij gnuifde. 'Je mag er eigenlijk niet om lachen, maar ik heb 'm nog nooit zo kwaad gezien! Hij stond te schelden, jongen, z'n pruim spetterde alle kanten op.'
''t Is godgeklaagd,' schudde mevrouw Bals. Haar onderkinnen trilden van verontwaardiging. 'Zo'n arme ouwe man!'
'Wat zegt de politie, pa?' vroeg Daans moeder.
Opa spreidde zijn handen.
'Die kunnen niks doen. Ze kunnen moeilijk permanent een mannetje in het huis zetten.'
Daan knikte. 'Veel te opvallend,' zei hij deskundig. 'Dan gebeurt er natuurlijk niks. Je moet die vent op heterdaad betrappen.'
'Dat zeiden die agenten ook,' zei opa.
Daan likte nadenkend zijn schone ijslepel nog schoner.
'En wat doen jullie nou?'
'Doen?' zei opa verbaasd. 'Niks. Wat móeten we doen?'
Daan legde zijn lepel neer. Zijn ogen schitterden.
'Nou, jullie kunnen toch een val opzetten?'
Opa haalde zijn schouders op.
'Jij vergeet dat je met ouwe mensen te maken hebt. Ze fladderen rond als bange kippen, en ze durven zowat hun kamers niet meer uit, maar verder?'
'Toch is dat de enige manier,' zei Daan koppig. 'Zo doen ze het op de film ook altijd. Ze leggen ergens iets neer, eh, hoe noem je dat ook alweer?'

'Lokaas,' zei zijn moeder.
'Precies.' Daan begon er nu goed in te komen. 'Met drugshandelaren doen ze het ook zo. Bijvoorbeeld, hè? Dan willen ze zogenaamd heroïne kopen of zo, en daar trappen die kerels dan in, en op het moment dat ze het aanbieden, grijpen ze ze!' Triomfantelijk keek hij rond.
'Kijk jij niet wat ál te vaak naar die flutfilms op de televisie?' vroeg zijn moeder achterdochtig. 'Je bent mij te goed op de hoogte.'
'Hè toe nou, mam!' zei Daan kribbig. Wat zeurde ze nou, daar ging het toch helemaal niet om? Moeders!
'De film is het echte leven niet, Daan,' zei opa. 'Op de film leggen de boeven altijd het loodje, en de goeien overwinnen. Eind goed, al goed.'
'En op de film hebben de slechteriken ook altijd een zonnebril op,' zei mevrouw Bals opgewekt en niet ter zake doende. 'Dat vind ik wel handig, want als er veel personen in voorkomen, kan ik ze nooit uit mekaar houwen.'
Daans moeder schoot in de lach. 'U hebt nog gelijk ook. Wat zit jij broeierig te kijken, Daan?'
'Nee, niks,' mompelde Daan.
Het moest toch kunnen, dacht hij. Je legde bijvoorbeeld ergens geld neer, en dan wachtte je gewoon af, toch? Maar dat kon wel dagen duren, besefte hij toen. Enne, wie moest dat dan doen? En waar moest je je verstoppen? Het personeel was er ook nog. Hoeveel waren dat er wel niet? En die liepen overal in en uit, natuurlijk. Dus die konden heel makkelijk...
Zijn moeder stoorde hem in zijn gedachten. 'Kom op, Daan. Even de handen uit de mouwen.'
Ze begon borden en schalen op te stapelen.
'De dames blijven zitten,' zei opa galant. 'Die afwas doen wij mannen wel even. Da's een fluitje van een cent, niet Daan?'
Daan knikte afwezig.

Boven de afwas (hoe bedoelde opa, een fluitje van een cent? Het reikte bijna tot de keukenkastjes), bleef het in zijn achterhoofd dreinen. Er moest iets op te vinden zijn…

11

Daan gaf een forse gewoonteruk aan de dingdongbel van het Kasteel. Boven zijn hoofd vloog een raam open.
'Kom eraan!' gilde Eva.
Daan telde. Bij acht ging de deur open.
'Hoeveel?' hijgde Eva.
'Acht,' zei Daan.
'Ik sla de trap nou over,' zei Eva tevreden. 'Dat scheelt vier tellen, merk je wel?'
'Hoe kom je dan beneden?' vroeg Daan verbaasd.
Eva sloeg haar been over een denkbeeldige leuning. 'Zo.'
Ze giechelde. 'Ik moest iets nieuws verzinnen, want glijden in de gang mocht niet meer. Daar wordt de vloer dof van.'
'En de trapleuning?' vroeg Daan.
'Die gaat er juist mooi van glimmen,' zei Eva. 'M'n broeken ook, trouwens, maar dat geeft niet.'
Daan mikte zijn jas op de kapstok.
'Wat was je aan het doen?'
'Schaken met m'n vader,' zei Eva. 'En hij wint. Dat doet-ie altijd. Ik heb gezegd dat hij maar eens een potje met jou moet schaken. Dan kun jij hem eens mores leren.'
'Nnnou,' twijfelde Daan. 'Is hij goed?'
'Beter dan ik,' verklaarde Eva.
'Ja, dá-hag,' zei Daan. 'Dat is geen kunst. Jij kan er geen hout van.'
Eva greep zijn hand. 'Kom mee naar boven. We hebben het gezellig joh, met zijn tweetjes. M'n moeder is bridgen, en nou hebben we

een soort picknick georganiseerd. Ik heb ook van die worstjes die jij zo lekker vindt.'

Daan rook de worstjes al op de gang.
Op de drempel van Eva's kamer bleef hij verbaasd staan. De gordijnen waren dicht, hoewel het nog lang niet donker was, en overal brandden kaarsen. Er stond een klein kerstboompje in de hoek, met rode lampjes erin, en houten kerstmannetjes met rooie puntmutsjes op.
Op de grond zat een blonde man verwoed in een berg pindadoppen te graaien. De doppen lagen op een krant, die tussen zijn benen lag uitgespreid.
'Eva!' brulde hij. 'Je hebt alle pinda's opgegeten, rotmeid!'
Daans mond zakte open. Was dat de scheepvaartdirecteur?
De scheepvaartdirecteur keek op. Hij grijnsde breed.
'Jij moet Daan zijn.'
Hij stond op, en Daan vergat zijn mond dicht te doen. Jeminee, wat was die man lang, het leek wel of er geen eind aan kwam. Makkelijk met witten, dacht hij.
Eva's vader stak zijn hand uit. 'Dus jij komt me verslaan met schaken?'
'Ja. Nee,' zei Daan verbouwereerd. Hij keek omhoog, in een paar scherpe helderblauwe ogen.
'Eva vertelde me dat je een ware grootmeester bent,' zei haar vader. Hij wreef in zijn handen. 'Zullen we dan gelijk maar een potje? Dan heb ik eindelijk eens een gelijkwaardige tegenstander. Want die vrouwen kunnen er maar niks van, wat jij?'
'Pff,' zei Eva verontwaardigd. 'Hoe kan ik nou fatsoenlijk leren schaken als jij er nooit bent? En mama houdt er niet van. Die zegt dat ze er hoofdpijn van krijgt.'
'Je kunt toch met Daan schaken,' vond haar vader. Hij zette de stukken al op het bord.

'Voor deze keer mag jij met wit, Daan.'
'Met Daan krijg ik ruzie,' zei Eva. 'Die wil altijd uitleggen wat ik fout heb gedaan, en daar kan ik niet tegen. Af en toe is het net een schoolmeester.'
Ze keek schuin naar Daan. Die lachte maar wat, verlegen met zijn houding.
'Gezellig is het hier,' zei hij, om toch iets te zeggen.
'Leuk hè?' zei Eva tevreden. 'Kunnen we eerst niet even wat drinken, papa? Jullie kunnen straks toch ook nog schaken.'
'Niks daarvan,' zei haar vader. 'Zaken gaan voor het meisje.'
Daan kroop gehoorzaam achter het schaakbord, en verzette zijn eerste pion.
Twee zetten later had hij in de gaten dat Eva's vader een herdersmatje op hem uitprobeerde. Nou, mooi niet! Hij pareerde handig, en de blauwe ogen keken hem opmerkzaam aan. Daan keek terug en grijnsde.
'Al eens eerder geschaakt, zeker?' vroeg Eva's vader nonchalant.
'Paar keer,' zei Daan. En dat was voorlopig het laatste woord dat er gesproken werd.

Anderhalf uur later legde hij met een diepe zucht zijn koning om en stak zijn hand uit. Eva's vader schudde hem plechtig.
'Goed gespeeld, kameraad.'
'Mag ik nou eindelijk praten?' vroeg Eva.
'Eerst een biertje,' smeekte haar vader. 'Dit jongmens heeft me een paar benauwde ogenblikken bezorgd. Ben je met dammen ook zo goed?'
Hij draaide het bord al om en keek Daan hoopvol aan.
'Nee,' zei Daan. 'Dammen doe ik nooit, we hebben niet eens een dambord thuis.'
'Met wie schaak je?' vroeg Eva's vader. Hij pakte een flesje bier aan van Eva, en wipte de dop eraf.

'Meestal met m'n moeder,' zei Daan. 'En ook wel met m'n opa. Maar die valt in slaap, als het potje erg lang duurt.' Hij lachte. 'En dan verzet ik eerst de stukken, voor ik 'm weer wakker maak.'
'En merkt-ie dat niet?' vroeg Eva.
'Niks hoor,' zei Daan. 'Dan is hij allang vergeten hoe alles stond. Maar hij wordt wel nijdig als-ie verliest, dan wil hij per se nog een keer.'
Eva zette een glas cola voor hem neer, en een schaaltje worstjes. 'Die zijn allemaal voor jou, hoor. Heb ik speciaal voor je bewaard. Hoe gaat het met je opa?'
'Best,' zei Daan. Hij hapte in een worstje. 'Er is weer ingebroken,' zei hij met volle mond. Hij kauwde verwoed op een velletje. 'Nou, niet ingebroken, maar wel gestolen.'
'Bij je opa?' vroeg Eva's vader.
Daan schudde nee. Het velletje zat nu tussen zijn kiezen, wat een rotgevoel was. Maar hij durfde het er niet tussenuit te peuteren.
'Zijn opa woont in Zonnegloren,' legde Eva uit. 'Dat is een bejaardenhuis. En daar is al een paar keer gestolen. De politie zegt dat het een inside job is.'
Haar vader klokte zijn biertje naar binnen en knikte nadenkend. 'Moeilijk, zoiets. Zolang je geen bewijzen hebt, kun je niets beginnen. Dus je moet zo'n vent op heterdaad betrappen.'
Daan vergat het velletje. 'Dat heb ik ook gezegd! Maar m'n opa zegt, het zijn ouwe mensen, daar kun je niet van verwachten dat ze zelf iets ondernemen.'
Hij haalde nog een worstje door de mosterd, en stak het in zijn mond.
'Zijn het grote bedragen?' vroeg Eva's vader.
Daan schudde zijn hoofd. 'Een keer vijftig euro, en een medaillon, en de tweede keer een paar briefjes van tien.'
'Pleasant character,' mompelde Eva's vader.
'Wat zegt u?' vroeg Daan.

'Dat het een rotvent is, die zoiets flikt,' vertaalde Eva monter.
Daan keek naar haar vader, maar die zei niks. Daan begon hem met de minuut meer te waarderen. Hoe hield-ie het uit bij die etalagepop? Dat zijn jouw zaken niet, Daan Koning, misschien is ze wel heel poezig als ze samen zijn.
Eva's vader stond op. 'Ik ga nog wat werken, Eva. En jou hoop ik nog eens terug te zien, Daan.'
Daan krabbelde overeind en gaf een hand.
'De volgende keer maak ik u in,' beloofde hij.
Eva's vader lachte breed. 'Ik verheug me er al op.'

'Aardige peer, je vader,' zei Daan, toen ze met zijn tweeën waren achtergebleven.
'Mijn vader is een moordvent,' zei Eva ernstig. 'Als hij er niet was, liep ik weg.'
Ze lachte toen ze Daans gezicht zag. 'Schrik je daarvan? Ik denk dat m'n moeder me pas na een paar dagen zou missen.'
Daan zweeg. Wat moest je daar nou op zeggen? Niks, want het was waarschijnlijk nog waar ook. Hij peuterde eindelijk het worstvelletje los.
'Maar als mijn vader thuis is,' ging Eva door, 'dan is het altijd feest. Hij verzint de gekste dingen. Dit van vanmiddag,' ze wees om zich heen, 'dat had hij ook verzonnen.' Ze lachte weer. 'Anders had hij moeten bridgen, en hij háát bridgen.'
Daan knikte nadenkend. Die vader viel hem honderd procent mee. Jammer dat hij nooit thuis was.
Eva pikte het laatste worstje voor zijn neus weg en haalde haar vinger door het restje mosterd. Opeens ging ze rechtop zitten.
'Kunnen wíj er niet wat aan doen?'
Daan kon haar niet zo gauw volgen. 'Waaraan?'
'Aan die diefstallen,' zei Eva. Ze zwiepte haar haren naar achteren en keek hem met glinsterende ogen aan.

'We richten gewoon een detectivebureau op!'
'Koning en Van Tuil, voor al uw misdaden,' grinnikte Daan.

12

'Van Tuil en Koning, zal je bedoelen,' zei Eva.
Daan lachte. 'Dat klinkt lang zo goed niet. Maar hoe wou je dat dan doen?'
'Ja, weet ik veel,' zei Eva ongeduldig. 'Daar heb ik nog niet over nagedacht.'
'Ik heb er wél over nagedacht,' zei Daan. 'Ik heb me suf gepiekerd, maar ik zou niet weten hoe je dat moet aanpakken. Ik kan toch moeilijk aan m'n opa vragen of hij overal geld wil laten rondslingeren, en dan maar kijken of er iemand áán zit?'
'Tuurlijk niet,' zei Eva. Ze beet peinzend op haar knokkels. 'Wíj moeten het doen, niet je opa. We moeten iets verzinnen, zodat we overal kunnen rondsnuffelen. In Zonnegloren bedoel ik.'
Ze liep naar haar bureautje en kwam terug met een kladblok en een pen.
'We schrijven eerst de feiten op, goed?'
Ze scheurde een velletje papier af en schreef met grote hanenpoten:
DIEFSTALEN IN ZONNEGLOREN.
Daan kon het niet laten: 'Diefstallen moet met twee ellen.'
Eva keek hem vuil aan en krabbelde er een l tussen.
'Zo goed, professor?'
Daan besloot wijselijk niet te reageren. Hij stak een vinger op.
'A: ingebroken, nee, gestólen, bij opoe Roos: vijftig euro en een medaillon.'
Eva schreef.
'B,' zei Daan, en stak nog een vinger op. 'Gestolen bij opa Baas: enige tientallen euro's.'

Eva giechelde. 'Wat zeg je dat mooi.'
'Schrijf nou maar op,' zei Daan.
Eva schreef. 'En verder?'
'Verder niks,' zei Daan. 'Meer is er nog niet gejat.'
'Nee, oelewapper,' snibde Eva. 'Ik bedoel, wat moet er nog meer bij? Plaats? Datum?'
'De datum weet ik niet precies,' zei Daan. 'Dat doet er trouwens ook niet toe. En de plaats staat er al boven.'
'O ja.' Eva sabbelde op haar pen.
'Mijn opa moet er wel van weten, denk ik,' dacht Daan hardop. 'Want we hebben zijn kamer nodig als, eh...'
'Hoofdkwartier,' zei Eva, en schreef: Opa inlichten. Kamer als hoofdkwartier.
Ze keken naar het vel papier. Veel was het nog niet. Ze dachten een hele poos na.
'Heb jij wel eens een boek over Sherlock Holmes gelezen?' vroeg Eva opeens.
Daan schudde zijn hoofd. 'Is dat niet die vent met die pet en dat vergrootglas?'
'Ja,' zei Eva. 'En die zei altijd, wat zei die nou ook alweer? O ja, je moet deduceren en combineren.'
'Wat is dat?' vroeg Daan.
'Ongeveer zoiets als logisch nadenken,' legde Eva uit.
'Ja, ha ha, dat weet m'n neus ook wel,' vond Daan.
'Wacht nou even,' zei Eva. 'Hij zei nóg wat. Hij zei dat je dingen moest... moest... nou, het woord weet ik niet meer. Maar het betekende dat je dingen moest wegstrepen die absoluut niet konden. Snap je? Dusse, als je meneer Flip van de moord verdacht, maar hij was op die tijd helemaal niet in de buurt, en meneer Flap wel, dan kon meneer Flip het niet gedaan hebben, maar meneer Flap wel.'
Daan keek haar bewonderend aan. 'Goed idee! Nou, wie kunnen we allemaal wegstrepen?'

Wegstrepen, schreef Eva, met een streep eronder.
'Opoe Roos, natuurlijk, want die is zelf bestolen, enne, opa Baas.'
'En mijn opa,' zei Daan.
'Eigenlijk niet,' zei Eva.
'Je denkt toch zeker niet dat míjn opa...!' stoof Daan op.
'Natuurlijk niet,' zei Eva haastig, en schreef: *Daans opa*. 'Maar Sherlock Holmes zou dat niet gedaan hebben.'
'Sherlock Holmes kan de boom in,' zei Daan onverschillig. 'We kunnen trouwens net zo goed meteen alle ouwe mensen doorstrepen, denk je ook niet?'
Eva knikte. 'Wie blijven er dan over?'
'Iedereen die er werkt,' zei Daan. 'En dat zijn er nogal wat. Die kunnen we nooit allemaal in de gaten houden. Dan mogen we wel de hele klas inschakelen.'
'Dat kan niet,' zei Eva. 'Je kunt daar niet met z'n twintigen gaan rondstruinen. 't Is een bejáárdenhuis!'
Daan zuchtte. Het was allemaal niet zo eenvoudig als het eerst leek.
'Volgens mij schieten we hier niks mee op.'
'Wél!' zei Eva fanatiek. 'We weten nou wie we niet, en wie we wel kunnen verdenken. We hoeven alleen nog maar een plan te maken om binnen te komen.'
'Alléén nog maar,' mompelde Daan.
'Ja, nou, zelf doe je niks!' bitste Eva. 'Ik schrijf me de blubber, en jij zit alleen maar kritiek te hebben! Doe nou niet zo vervelend.'
Daan stond op. 'Ik moet naar huis. Weet je wat? We proberen allebei een plan te verzinnen, en wat het beste is, nemen we.'
Eva was gauw boos, maar het was ook zo weer over. 'Oké! En als het lukt, worden we beroemd, Daan. Misschien komen we wel in de krant!'

Toen Daan de oprijlaan afliep, werd er achter hem een raam opengegooid. Hij draaide zich om.

'Ik weet alweer hoe het heet!' gilde Eva. 'Elimineren!'
Daan lachte, en stak zijn duim op.

13

Daan stond op de huishoudtrap te witten. Hij floot erbij, want hij was in een opperbest humeur.
Dat goede humeur had twee oorzaken: hij witte de kamer zonder dat zijn moeder het wist, dus hij deed een Goede Daad. En een goede daad gaf een Goed Gevoel.
En verder had hij een gedicht gemaakt. Een gedicht voor Eva. Het was nog wel niet af, en hij wist ook niet of hij het haar zou durven geven, maar dat hinderde niet.
Het gedicht begon zo:

Eva, toen ik jou gewaar werd

(Gewaar werd kon best, vond Daan, en bovendien rijmde het op hert.)

Eva, toen ik jou gewaar werd
met je ogen als een hert,
wist ik dat ik dichten kon,
want sinds die dag schijnt steeds de zon.

Dat was het eerste couplet, en hij was er zeer tevreden over.
Van het tweede had hij nog maar één regel.

Je haren zijn als ravenvleugels...

En daar zat 'm de kneep. Wat rijmde er nou op ravenvleugels? Daar liep hij al een paar dagen over te broeden. Want het moest er wel in, van die vleugels. Het was de mooiste regel van het gedicht, vond hij, en het klopte precies. Nou ja, hij zou er wel iets op vinden.
Daan schilderde en floot, en floot en schilderde. Het ging lekker, veel sneller dan de eerste keer, en hij had nog háást niet gemorst. Intussen dwaalden zijn gedachten naar het probleem Zonneglo-ren. Daar was-ie ook nog niet uit.
Hij had overwogen zijn moeder te raadplegen, maar had er meteen weer van afgezien. Die zou natuurlijk direct met allerlei bezwaren op de proppen komen. Dat het gevaarlijk was, en dat ze nog maar kinderen waren, en ga zo maar door. Nee, voor dit soort dingen...
De telefoon ging.
Daan stommelde voorzichtig van de trap, zette zijn emmertje neer en nam met een witte verfhand de hoorn op.
'Met mij,' zei zijn moeder gehaast. 'We hebben een spoedklus, grafkransen. Dus ik moet overwerken. Zou je het héél erg vinden om alleen te eten?'
Daan keek naar zijn muur, die nog lang niet klaar was.
'Nee hoor, geeft niks. Hoe laat kom je thuis?'
'Tegen achten, denk ik,' zei zijn moeder. 'Er is nog nasi van gisteren, en bak er maar een ei...'
De voordeurbel ging.
'Doe ik!' riep Daan. 'De bel gaat, ik hang op, hoor!'
Hij kwakte de hoorn neer en rende naar de deur.
'Hoi!' zei Eva.
'Hoi!' zei Daan verheugd. Zijn humeur steeg nog een paar graden. 'Ik dacht dat je met je moeder op visite moest, vanmiddag?'
'Moest ik ook,' zei Eva. Ze wikkelde zich uit twee meter sjaal en mikte haar jas naast de kapstok.

‘Maar ik heb vrééééselijke hoofdpijn, snap je? Ik lig op dit moment in bed.’
Daan grinnikte. ‘Ik snap het.’
Eva bukte om haar schoenveter vast te maken.
‘Kijk,’ zei ze van ergens tussen haar knieën. ‘Anders had ik nu in een opgeprikte jurk in de kamer gezeten bij mevrouw Van Swinderen Doeselaer. En mevrouw Van Swinderen Doeselaer heeft een dochter. Die heet Madeleine van Swinderen Doeselaer.’
‘Logisch,’ zei Daan.
Eva kwam met een rood hoofd overeind. ‘Hoezo, logisch?’
‘Nou,’ zei Daan. ‘Als haar moeder Van Swinderen Doeselaer heet, dan zal zij ook wel Van Swinderen Doe…’
‘Lolbroek,’ zei Eva. ‘Maar die Madeleine hè, die is vijftien, maar ze lijkt wel twintig, en ze heeft een hoofd als een ei.’
‘O,’ zei Daan.
‘Ja,’ zei Eva. ‘En dan moet ik met dat eihoofd gezellig naar haar kamer, en het enige waar ze over praat zijn kleren en jongens, en soms andersom.’
Daan zag het probleem niet. ‘Dan ga je toch níet mee naar boven?’
‘Háh!’ zei Eva. ‘Dan ga ik niet mee naar boven, maar dan moet ik beneden zitten bij die ouwe taarten, die sherry drinken, en toastjes met vis eten die ik niet lust, en die roddelen over andere ouwe taarten.’
Daan lachte en liep naar de keuken.
‘Wil je iets drinken? Er is alleen maar spa.’
Hij dook in de koelkast.
‘Over vis gesproken! Vóór Kerstmis hè? Toen moest ik boodschappen doen in de supermarkt, en ik heb de pest aan boodschappen doen, en het was ook nog een heleboel. Dus ik ren daar met m’n briefje helemaal verzenuwd door die propvolle winkel, staat er zo’n dame met een dienblad in haar handen. Je weet wel, dan laten ze je iets proeven. Zegt ze tegen me: een stukje stol, jon-

geman? Maar ik had dat hele mens niet gezien, en ik luister niet goed, dus ik versta schol. Dus ik zeg, nee dank u, ik hou niet van vis. Ze keek me aan of ik gek geworden was, joh! STOL!! gilt ze tegen me.'
Eva schaterde. 'En toen?'
'Toen niks,' zei Daan. 'Ik wist niet hoe snel ik weg moest komen. En 't leek trouwens sprekend op vis, d'r zat allemaal van die grijze smurrie in die proefstukjes.'
'Spijs, heet dat,' zei Eva.
'Dat lust ik óók niet,' zei Daan.
Eva liep achter hem aan naar binnen en keek naar de chaos in de kamer. 'Wat ben je aan het doen?'
'M'n moeder aan het verrassen,' zei Daan. ''t Ziet er wel goed uit, vind je niet?'
Hij stapte trots achteruit om zijn schilderwerk nog eens te bewonderen en trapte tegen de verfemmer, die omviel. Een trage witte golf spoelde over het grijze tapijt.
'Shit!' zei Daan verbijsterd. Met grote ogen keek hij naar de verfvijver; zijn stemming zakte pijlsnel van tropisch naar ver onder nul.
'Leuke verrassing!' gierde Eva.
Daan mompelde een woord dat in geen enkel woordenboek voorkomt, en probeerde met de kwast de verf terug te vegen, de emmer in. Maar daar werd het alleen maar erger van.
Eva hikte van het lachen. 'Heb je geen v,,, veger en bl   blik?'
'Sta nou niet zo stom te lachen!' snauwde Daan. 'Help me liever!'
Eva's wangen bolden. 'Waarmee?' vroeg ze beleefd. 'Ik bedoel, heb je een doekje?'
'Doekje, wát nou doekje,' sputterde Daan. 'Een laken zal je bedoelen!' Hij sprintte naar de keuken en kwam terug met twee theedoeken. 'Deppen!' zei hij kortaf.
Ze depten. De vlek werd twee keer zo breed, maar wel dunner. De theedoeken stonden stijf van de verf.

'Je moeder zal opkijken,' voorspelde Eva opgewekt.
Daan graaide een paar kranten uit de krantenbak en spreidde die over de vlek. Met zijn vlakke hand drukte hij ze stevig aan.
'Zo kan 't wel,' vond hij. 'Als het straks droog is, zet ik er wel een plant op of zo.'
Eva rolde de theedoeken in een krant. 'Zou ze niet nijdig worden?'
'Welnee,' zei Daan luchtiger dan hij zich voelde. Hij moest het maar een beetje leuk brengen, straks, bedacht hij. Als je de hele middag tot je ellebogen in de grafkransen had gezeten, had je misschien toch wat minder begrip voor zulke kleine ongelukjes.
'Dat tapijt is tóch al oud. En het ging toch per ongeluk? Maar nou is wel m'n verf op,' ontdekte hij.
'Koop je toch een nieuw emmertje,' zei Eva. 'Ik help je wel. Ik heb de hele middag de tijd. M'n moeder komt pas vanavond weer thuis.'
Daan klaarde op. 'De mijne ook! Ze moet overwerken. Blijf je dan hier eten, of mag dat niet?'
'Hoeft toch niet te mogen,' zei Eva pienter. 'Ik lig toch met hoofdpijn in bed?'

14

Boven de nasi, in een spierwitte kamer, zei Eva: 'Heb jij al een plan?'
Daan prikte de dooier van zijn ei kapot. Het eigeel vloeide net zo mooi uit als de verf daarstraks.
'Plan?'
'Voor Zonnegloren,' zei Eva. 'Daar kwam ik eigenlijk voor. Maar toen ging jij in die emmer staan, en toen vergat ik het.'
Ze stak een lepel nasi in haar mond.
'Als we de boel nou eerst eens van buitenaf bekeken? Dat we zo'n beetje weten wie in welke kamer woont, en waar het personeel zit en zo.'
Daan druppelde ketjap over de rijst.
'Maar je kunt daar toch niet naar binnen gaan staan gluren? Dan zien ze je toch?'
'Ik bedoel natuurlijk 's avonds, oliebol,' zei Eva ongeduldig. 'Of in ieder geval als het donker is.'
Ze keek op haar horloge.
'Het zou nou mooi kunnen, 't is pas zes uur! Zullen we dat doen?'
Daan schudde weifelend zijn hoofd.
'Ik weet het niet, hoor. Bij wie moet je dan gaan kijken? Straks staan we daar uren te blauwbekken, en dan gebeurt er natuurlijk niks, zal je altijd zien.'
'Ja, nou!' begon Eva, en verslikte zich in haar nasi. 'Jij wilt ook nooit wat!' hoestte ze kwaad.
Daan timmerde haar behulpzaam op haar rug. 'Wil je water?'
'Nee!' kefte Eva. 'Ik hoef geen water! Waarom wil je dat nou niet?

Jij bent altijd zo voorzichtig! Je hebt zelf gezegd, het beste plan nemen we. En het is al een week geleden, en zelf weet je ook niks!' Triomfantelijk keek ze hem aan. 'Nou?'
Daan schraapte zijn bord leeg en veegde zijn mond af met zijn hand. De servetten waren weer eens op.
'Ik heb er heus wel over nagedacht,' zei hij verdedigend. 'Maar het lijkt mij veel beter om er eerst eens met m'n opa over te praten. Die zit er met zijn neus bovenop.'
Eva legde haar lepel neer, en hij scheurde hoffelijk een velletje keukenrolpapier voor haar af.
'Nu?'
'Nnja, best,' zei Daan.
Ze zetten de borden in de gootsteen, en schoten in hun jas.

In opa's kamer hing een lange jongen in een spijkerjekkie dubbelgevouwen over de tv.
'Dit is Bert,' zei opa. 'Bert, dit zijn m'n kleinzoon Daan en z'n vriendinnetje Eva.'
De jongen trok zijn hoofd uit de televisie en stak een hand op. 'Hallo.'
'Ik heb geen geluid,' verklaarde opa. 'Alleen beeld. En Bert heeft verstand van televisies, niet Bert?'
'Mwoh,' zei Bert.
Hij had een steile blonde punkkuif, en een rafelig staartje in zijn nek. Aan zijn rechteroor bungelde een sleutelhanger. Hij haalde zijn spijkerbroek op over een paar magere heupen.
'Dit is zo'n toestel uit het jaar kruik, en dan is er aan het geluid nog wel wat te doen. Beeld is een stuk lastiger, dan is er meestal een lamp kapot.' Hij stak zijn punkhoofd weer in de tv.
Daan en Eva keken elkaar aan. Dus dat was nou Bert!
Niks zeggen! seinde Eva. Oké, miemde Daan terug.
'Wat kwamen jullie doen?' vroeg opa.

'Euh, niks eigenlijk,' zei Daan ongemakkelijk. 'Zomaar. We verveelden ons een beetje, hè Eva? En toen dachten we, kom, laten we even bij opa langsgaan.'
Opa keek hem scherp aan. 'Zo, dachten jullie dat.'
'Doe de stekker er eens in?' verzocht Bert.
'Doet-ie het?' vroeg opa verheugd.
'Even proberen,' zei Bert. 'Ik denk het wel.'
Hij ging op zijn hurken voor de televisie zitten en morrelde aan de knoppen.
'En dan gaan we nu kijken naar Sesamstraat,' glimlachte de omroepster.
Opa wreef in zijn handen. 'Voor mekaar, Bert!'
''t Lijkt erop,' zei Bert. Hij begon de achterplaat op de tv te schroeven.
'Jij hebt een bak koffie verdiend,' vond opa. Hij verdween in zijn keukentje. 'Hoe was 't ook weer, melk en suiker?'
'Zwart met suiker.' Bert stopte zijn gereedschap in een kistje en draaide een sjekkie.
'Zeg Daan!' riep opa. 'Jij wou toch op de hoogte blijven? Wist je dat er alwéér is ingebroken?'
Daan en Eva schoten rechtop. 'Bij wie?'
Opa stak zijn hoofd om de deur van het keukentje.
'Bij meneer Fabricius.'
'Wie is dat?' vroeg Daan. 'Die ken ik niet.'
Opa lachte. 'Hij zal je nooit opgevallen zijn. Het is het soort man dat je drie keer moet tegenkomen om hem één keer te zien. Maar 't is een aardige vent. Ik biljart wel eens met 'm.'
'Wat is er bij die meneer Fabricius gestolen?' vroeg Eva. 'Ook geld?'
'Nee,' zei opa. 'Een foto. Nou ja, het zal wel niet om die foto zijn, maar om het lijstje. Dat was van zilver. Maar het gekke is dat er een antieke klok naast stond die veel méér waard was, en die stond

er nog. Maar hij heeft toch vreselijk de pest in, want het was een foto van zijn overleden vrouw. Dus daar was-ie natuurlijk erg aan gehecht. De koffie komt eraan, Bert!'
Maar Bert drukte zijn sjekkie uit en stond op.
'Laat maar zitten eigenlijk, die koffie,' zei hij. 'Ik moet nodig weg, ik heb met een vriend afgesproken.'
Hij pakte het gereedschapskistje en liep naar de deur.
'Dan hou je 'm te goed,' zei opa.
'Best,' zei Bert. 'Als ik tijd heb, kom ik morgen nog wel even langs.'
Hij knikte naar Eva en Daan. 'Tot kijk.'

'En wat hebben jullie op je lever?' informeerde opa, terwijl hij Berts koffie opdronk.
'Hoezo?' vroeg Daan onschuldig.
'Nou,' zei opa. 'Je ziet eruit alsof je je laatste oortje versnoept hebt. Hebben jullie wat uitgevreten?'
'We hebben...' begon Daan.
'We wilden...' zei Eva.
Opa keek van de een naar de ander.
'Vooruit. Voor de draad ermee. Schoon schip maken is altijd het beste.'
'We hebben niks gedáán of zo,' zei Daan haastig. 'Maar we wilden... we zouden... we hebben een plan, eigenlijk.'
'Voor die diefstallen,' vulde Eva aan. 'We willen proberen om die op te lossen.'
'Jullie?' zei opa verbaasd. 'Hoe dan?'
'Nou, kijk,' zei Daan. 'Het gaat maar door, hè? Nou weer bij meneer Fabriek, enne...'
'Fabricius,' zei opa.
'Ja,' zei Daan. 'Dus wat we eigenlijk willen, is hier rondkijken. In Zonnegloren. Want je moet toch ergens beginnen. Maar we weten niet hoe. Want dan moet je een goeie smoes verzinnen om overal

binnen te komen, en die hebben we niet. Een smoes bedoel ik. Dus en nou...'
'Wacht even,' onderbrak opa. 'Als ik het goed begrijp willen jullie voor rechercheur gaan spelen?'
Zijn borstelige wenkbrauwen verdwenen bijna onder zijn pet, en Daan kleurde. Als je het zó zei, klonk het misschien ook wel idioot.
'Zoiets.'
Hij schopte Eva tegen haar enkel; zeg jij nou ook eens wat.
Eva schonk opa haar stralendste glimlach.
'We willen zo graag helpen,' zei ze. 'Hè Daan? Omdat we het zo zielig vinden voor die ouwe mensen.'
Ze legde lief haar hand op opa's mouw. Haar ogen waren donkerbruin fluweel, en opa was er niet tegen bestand. Zijn wenkbrauwen zakten een paar millimeter. Daan keek Eva bewonderend aan.
'Hm,' bromde opa. 'Nou, dat is verdraaid aardig van jullie. Maar zolang je geen duidelijk plan hebt, zou ik niet weten hoe ik jullie moest helpen.'
'Misschien kunnen we ons als hulpjes aanbieden,' zei Daan snel. 'Karweitjes doen, offe, boodschappen.'
Opa's wenkbrauwen klommen weer.
'Da's niks. Dat doet Bert allemaal,' wees hij af. 'Trouwens, kinderen van jullie leeftijd mógen nog helemaal niet werken, dus ik denk niet dat de directeur...' Hij krabde onder zijn pet. 'Jullie verkopen toch ook altijd kinderpostzegels? Is dat niet wat?'
'Dat is in oktober,' zei Daan.
'Tja,' zei opa. 'Dan houdt 't op.'
Hij goot het laatste restje koffie naar binnen. Daan en Eva dachten na.
'Werkt die Bert hier de hele week?' vroeg Eva plotseling.
'Nee,' zei opa. 'Alleen op maandag, dinsdag en woensdag, dacht ik. Hoezo?'

Eva zag eruit als een boeddhabeeldje. Even ondoorgrondelijk, even nietszeggend.
'Zomaar.'
Ze keek op de klok. 'Ga je mee, Daan? Ik moet naar huis.'
Opa liep mee naar de deur.
'Als jullie iets ondernemen, wil ik het van tevoren weten,' waarschuwde hij. 'Geen domme streken uithalen. Kan ik daarop rekenen?'
'Túúrlijk,' zeiden ze braaf.
Dat konden ze gemakkelijk beloven. Per slot van rekening kon je heel verschillend denken over wat dom was en wat niet.

Buiten zei Daan: 'Waarom vroeg je dat, over Bert?'
'Omdat er volgens mij iedere keer in het begin van de week gestolen wordt,' legde Eva uit. 'En omdat hij plotseling weg moest toen je opa over die diefstallen begon. Eerst wou hij wél koffie, en toen opeens niet. Is jou dat niet opgevallen?'
Daan schudde spijtig zijn hoofd.
'Mij wel!' zei Eva triomfantelijk. 'En ik vond het een engerd.'

15

Daans moeder gaf een roffel op de deur van zijn kamer, en stapte naar binnen. 'Zijn jullie bijna klaar?'
Daan keek op. 'Nog een kwartiertje. Hoezo?'
'Ik wilde graag vroeg eten,' zei zijn moeder. 'Ik zou toch vanavond met mevrouw Bals naar de dokter? En daar moeten we om half-zeven zijn. Dus we gaan over, laat eens kijken, over een halfuurtje aan tafel. Wil jij soms blijven eten, Eva?'
'Ja, graag,' zei Eva.
'We eten spaghetti,' zei Daans moeder. 'Daar hou je toch wel van? En vergeet niet je moeder even te bellen dat je hier blijft.'
'Hoeft niet,' zei Eva monter. 'Ze is niet thuis. Ze gaat vanavond naar de opera, en eerst dineren met vrienden.'
'Maar kind,' zei Daans moeder. 'Hoe had jij dan... Of was mevrouw Zwerus anders gebleven om voor je te koken?'
Mevrouw Zwerus was de huishoudster. Gewoonlijk ging ze om vijf uur naar huis, maar als Eva's moeder uit moest, bleef ze wel eens langer.
Eva schudde haar hoofd. 'Die heeft griep.'
Ze lachte. 'Dus ik hoopte stiekem al dat je me zou vragen om te blijven eten.'
Daans moeder schudde ook haar hoofd, maar om een andere reden. 'Je weet dat dat altijd goed is, Eva. Ik vind het een akelig idee dat jij daar alleen in dat grote huis rondzwalkt.'
Ze liep terug naar de keuken. Je zou die moeder wurgen, dacht ze, en smakte met een kwaaie klap de koekenpan op het fornuis. Zou Eva's vader eigenlijk weten dat zijn vrouw zo vaak weg was en dat kind hele avonden alleen thuisliet? Nou ja, het waren haar zaken niet, maar toch...

Venijnig reeg ze een tomaat aan het mes.
Op Daans kamer zei Eva: 'Ik vind het zo wel goed, hoor Daan. Als het nou nog niet naar zijn zin is, schrijft Neteman het zelf maar.'
Daan lachte. 'Het is best een goed opstel, maar je moet beter op de spelling letten. Als het barst van de fouten, trekt-ie er zó een paar punten af, joh.'
Eva stak haar afgekloven potlood in haar mond, en trok haar staart opnieuw door het elastiek.
'Wat hééft mevrouw Bals eigenlijk?'
'Van alles,' grinnikte Daan. "t Is net de winkel van Sinkel. Spataderen, jubeltenen, dikke voeten, noem maar op. Ze had allang naar de dokter gemoeten, maar ze durfde niet. Ze is bang dat ze geopereerd moet worden. Maar m'n moeder heeft 'r nou toch eindelijk overgehaald, blijkbaar.'
Eva haalde het potlood uit haar mond en tikte hem met het kwastige uiteinde tegen zijn borst.
'Hoe lang blijft je moeder weg, denk je?'
Ze had haar ik-heb-iets-in-m'n-hoofd-blik in haar ogen, zag Daan.
'Weet niet,' zei hij voorzichtig. 'Een uurtje, misschien. Ze moet ook nog studeren vanavond.'
'Dan is dit onze kans,' zei Eva plechtig. 'Vanavond gaan jij en ik een kijkje nemen bij Zonnegloren.'
'Ja maar,' protesteerde Daan zwakjes. 'Ik heb al eerder gezegd dat...'
'En ik heb al eerder gezegd,' zei Eva vinnig, 'dat er eens iets moet gebeuren. Want als het van jou afhangt, gebeurt er niks!'
'Oké, goed, best, we gaan al,' mompelde Daan slachtofferig. 'Als je mond maar houdt onder het eten, want m'n moeder krijgt een stuip als ze hoort wat we van plan zijn.'

'Ben jij er nog, Eva, als ik terugkom?' vroeg Daans moeder.
'Ik denk het niet,' zei Eva. 'Maar Daan brengt me even thuis, hè Daan?'

Daan knikte met een rood hoofd.
'Tot straks dan,' zei zijn moeder.
Ze hoorden haar de trap afstommelen, en schoten naar het raam.
'Even wachten tot ze weg zijn,' zei Eva.
Even later zagen ze twee donkere figuren de straat uit schuifelen.
'Nou wij!' zei Eva opgewonden.

Buiten stak ze haar neus als een jachthond in de lucht en snoof.
'Ik ruik de lente,' verklaarde ze.
'De lente!' Daan gaf haar een por. 'Ben jij wel goed bij je hoofd? Het vriest minstens vijf graden.'
'En toch ruik ik de lente,' zei Eva koppig.
'Je zal je bovenlip bedoelen,' mompelde Daan. Hij stak zijn handen diep in zijn zakken en keek naar de hemel, die vol romantisch twinkelende sterren stond. Daan voelde zich helemáál niet romantisch. Hij vroeg zich af wat hij hier liep te doen. Op de een of andere manier kon hij Eva nooit iets weigeren. Nou ja, ze zouden wel zien. Een kijkje nemen kon geen kwaad...

'We hadden eigenlijk een opschrijfboekje mee moeten nemen,' zei Eva, toen ze voor Zonnegloren stonden. 'Dan hadden we kunnen noteren wie in welke kamer zit.'
In het stikdonker zeker! Daan snoof meewarig. Hij rilde ondanks zijn dikke jack.
'Waar wou je beginnen?'
'Daar,' wees Eva. 'Aan de achterkant. Maar dan moeten we wel door de tuin, anders zie je nóg niks.'
Zonnegloren was in een L-vorm gebouwd, met kamers aan weerskanten van een gang die door het hele huis liep. Het was een laag, bungalowachtig gebouw, zonder verdiepingen. Aan de voorkant, waar de hoofdingang was, lag een groot grasveld, onderbroken

door een tegelpad dat voor het hele huis langs liep. Aan de achterkant was een brede strook grond, dicht beplant met heesters en struiken.
Ze liepen naar de achterkant, en Eva keek om zich heen.
'Niemand te zien,' zei ze tevreden.
Ze stapten over de afrastering en wrongen zich door de struiken. Daan bleef met zijn mouw achter een vuurdoorn hangen. Er kraakte iets, en hij hoopte dat het de vuurdoorn was, hoewel het meer klonk als een scheurende mouw. Hij vloekte zachtjes.
'Ssst!!' siste Eva. Ze sloop gebukt voor hem uit, haar haren in haar capuchon verstopt.
Ze kan zó in het leger, dacht Daan, en plotseling grinnikte hij hardop.
Eva draaide zich om.
'Als je gaat klieren, ga ik wel alleen verder!' fluisterde ze woedend.
Daan gebaarde dat het al goed was.
Voor de ramen van de eerste kamer richtten ze zich op en gluurden behoedzaam naar binnen. Niemand. Alleen kasten, een bureau met paperassen, een draaistoel, en een fauteuil. Da's waar ook, dacht Daan.
'Dit is de kamer van de directeur,' zei hij zacht.
'Volgende,' fluisterde Eva.
De volgende kamer was donker, en die daarnaast ook. In de vierde kamer brandde licht, maar de gordijnen waren gesloten. Zo gaat-ie goed, zo gaat-ie beter, alweer een kilometer, dacht Daan. Als dit zo doorging, was het met vijf minuten bekeken. Opgewekt sloop hij achter Eva aan naar kamer nummer vijf. Daar zat een oude man naar de televisie te kijken.
Daan nam zijn bril af, die besloeg, en poetste de glazen schoon. Hij keek weer. Als hij het niet dacht! Die man zat lekker naar de western te kijken die hij ook had willen zien.
'Volgende,' fluisterde Eva, zakelijk als een tandarts.

Spoelt u maar, dacht Daan, en slikte manmoedig een nieuwe giechel in.
In kamer zes was niemand, in kamer zeven lag een oude dame languit op haar bed, met al haar kleren nog aan. Ze staarde naar het plafond, en ze zag eruit alsof ze zich verschrikkelijk verveelde.
In kamer nummer acht begoot een oude meneer de plantjes in de vensterbank. Ze doken net op tijd.
'Dat is meneer Fabricius,' fluisterde Daan, die opeens weer wist wie het was. 'Je weet wel.'
'Dan kunnen we meteen door,' ademde Eva terug.
Diep door hun knieën gezakt kropen ze onder de verlichte ramen door. Daan probeerde op zijn horloge te kijken, maar het was te donker. De enige straatlantaarn die er stond, was blijkbaar kapot. Eigenlijk maar goed ook, dacht hij.
Kamer negen. Donker.
Kamer tien. Donker.
Daan kwam overeind en strekte zijn rug.
'In de volgende zit mijn opa,' zei hij half hardop. 'Kijk maar naar die streepgordijnen.'
Opa had de gordijnen stevig gesloten. Ze schoven er zonder problemen langs.
'Wie zit er naast hem?' fluisterde Eva.
Daan probeerde zich de situatie binnen voor de geest te halen.
'Mevrouw Versteeg geloof ik,' zei hij. 'Zo'n lang mager mens met een knotje. Net een strenge schooljuffrouw.'
Eva stak haar neus boven de vensterbank.
'Klopt,' fluisterde ze. 'Ze zit te kaarten of zoiets. Kun je kaarten in je eentje?'
Daan keek ook.
'Patience heet dat,' zei hij. Opeens schokte hij rechtop, dook meteen weer naar beneden.
'Wat is er?' siste Eva.

Daan kwam weer omhoog.
Vol verbazing zagen ze hoe mevrouw Versteeg de patiencekaarten één voor één zorgvuldig verscheurde. Daarna veegde ze de stukjes netjes op een hoopje. Ze staarde er even naar, en plotseling mepte ze de berg snippers van tafel.
Er zat zoveel woede in het gebaar dat Daan ervan schrok. Hij had opeens het gevoel dat ze met iets onfatsoenlijks bezig waren, dat ze dit niet hoorden te zien. Maar toch bleef hij kijken, geboeid door iets wat hij niet begreep.
Mevrouw Versteeg vouwde haar handen in haar schoot en wiegde heen en weer. Toen zakte haar hoofd voorover op de tafel, en ze lag doodstil. Uit het knotje stak een haarspeld, en twee piekjes stonden dwaas overeind.
Daan moest plotseling denken aan een boek dat hij pas gelezen had, en waarin een jongen verdwaald was geraakt in de woestijn. Het gevoel van totale eenzaamheid dat de jongen had bevangen, was zó goed beschreven dat Daan de rillingen over zijn rug had voelen lopen.
Hij staarde naar die twee aandoenlijke piekjes op het anders zo onberispelijke hoofd van mevrouw Versteeg, en nog nooit in zijn hele leven had hij zo graag gewild dat hij ergens anders was.
Eva trok aan zijn mouw. 'Kom,' fluisterde ze.
Daan zag haar ogen glinsteren.
De volgende kamer was donker, en ze bleven zwijgend staan.
'Zullen we naar huis gaan?' zei Daan. Hij kuchte iets diks in zijn keel weg. 'Ik eh... ik vind het niet zo leuk meer.'
Eva weifelde. 'Deze rij maken we af,' stelde ze voor. 'En dan gaan we naar huis, oké? Misschien had je toch wel gelijk. Maar nou we hier toch eenmaal zijn...'
Daan knikte.
'Daan?' zei Eva.
'Goed,' zei Daan kort.

Gewoon rechtop, alsof het er nu niet meer toe deed, liepen ze naar het volgende raam. Daan keek.
'Opoe Roos,' fluisterde hij.
Eva keek ook. Ze lachte zacht.
'Wat een schatje.'
Opoe Roos leek op een plaatje uit een Ot en Sien-boek. Ze zat in een ouderwetse leunstoel te breien, met haar bril op het puntje van haar neus en haar voeten op een bankje. Daan zag haar lippen bewegen. Ze zingt natuurlijk, dacht hij.
Ze bleven een naald lang kijken. Opoe stak de lege naald onder haar andere arm en liet de knot breiwol vallen. Ze stond op uit haar stoel om hem op te rapen.
Toen ze weer overeind kwam, keek ze naar het raam – recht in twee bleke gezichten, die scherp tegen het donker stonden afgetekend.
Opoe gilde. Een snerpende gil, die door merg en been ging.
En daarna gilde ze weer, en nóg eens.
'Shit!' zei Daan.
Dit was precies waarvoor hij aldoor al bang was geweest.
'Wegwezen!' schreeuwde Eva.
Als op hol geslagen olifanten braken ze door de struiken. Doornige takken sloegen Daan recht in het gezicht. Hij stapte in een kuil, struikelde half, vergat de afrastering en smakte languit op straat. Een stekende pijn schoot door zijn knie. Zijn bril vloog af, en de wereld vervaagde tot vlekken en vegen. Ook dat nog.
'Eva!' riep hij paniekerig. 'Waar ben je!'
'Hier,' zei Eva's stem vlakbij.
Haar spijkerbroekbenen doemden naast hem op, en opnieuw hoorde Daan gekraak.
Deze keer wist hij heel zeker dat het zijn bril was. Brillen waar je met dikke rubberzolen op ging staan, gaven een speciaal geluid.
'Godverdegodverdegodver,' zei Daan.

16

'Een stóm plan was het!' schreeuwde Daan. Hij hinkte naast Eva voort, de resten van zijn bril in zijn hand. 'Een superstom plan. Het stomste wat we hadden kunnen doen! Ik heb het je toch gezegd! Maar nee, jij moest zo nodig voor Sherlock Holmes spelen. Als je maar weet dat...'
'Hou nou even je mond!' schreeuwde Eva terug. 'Je hóefde toch niet? Je wou toch zelf mee?'
'Ik wou helemáál niet mee!' tierde Daan. 'Dat weet je best. Maar jij loopt de boel al weken op te fokken!'
'Pff,' zei Eva minachtend.
Ze begon steeds harder te lopen; Daan hield haar maar amper bij.
'Kan IK er wat aan doen dat opoe Roos uit het raam keek? Kan IK er wat aan doen dat jij als een blinde kip over dat hekje struikelt?'
Ze stond met een ruk stil. In het bleke licht van een lantaarn waren haar ogen zwart van woede.
'Je hoeft niet verder mee te lopen,' zei ze hooghartig. 'Ik kom alléén ook wel thuis!'
Ze liet Daan staan waar hij stond en begon te draven.
Voor zijn brilloze ogen veranderde haar silhouet in een vormeloze massa. Daan werd razend. Wat dacht ze eigenlijk wel?
'Trut!!' schreeuwde hij.
'Bange schijterd!' gilde Eva terug, en vervolgens hoorde hij een klap en gerinkel. Haastig liep hij in de richting van het geluid.
Eva zat op haar achterste tussen een stapel dozen, een stinkende matras en een halfgesloopte televisie, waarvan de beeldbuis in dui-

zend splinters om haar heen lag. Om haar nek hing bevallig een fietsband. Ze huilde.
'Wat doe jíj nou?' vroeg Daan onnozel.
'Ik v... viel,' snikte Eva. 'Omdat ik omkeek, en toen zag ik die tr...troep niet staan. Het is allemaal jouw schuld,' zei ze onlogisch.
'Nou moe,' begon Daan, en toen barstte hij in lachen uit.
'Over blinde kip gesproken!' gierde hij. 'Wie is er hier nou blind, jij of ik?'
'M'n knie doet zeer,' snotterde Eva. Ze krabbelde overeind en pakte zijn hand.
'Welke knie?' hikte Daan.
'De linker,' zei Eva. Ze begon te giechelen.
'Bij mij is het de rechter.' Daan stond krom van het lachen. 'Zullen we ruilen?' stelde hij voor. 'Man met bovengebit zoekt vrouw met ondergebit om samen pinda's te eten!'
Eva gaf een baldadige trap tegen de televisie.
'Daar viel ik over,' verklaarde ze.
'Misschien kan Bert 'm maken,' hijgde Daan.
'Vast niet!' gierde Eva. Ze wees naar de glassplinters. 'Beeld is immers veel moeilijker dan geluid!'
Boven hun hoofd knalde een raam open.
'Ken 't effe wat rustiger?' riep een zware mannenstem. 'Of mot ik de politie bellen?'
'Laat maar zitten!' schreeuwde Eva brutaal. 'Wij zíjn van de poli tie!'
Met de armen om elkaar heen strompelden ze schaterend de straat uit, en de hoek om.

'Wat is er met jou gebeurd?' vroeg zijn moeder met grote ogen toen Daan eindelijk thuiskwam.
In het licht van de hallamp nam Daan de schade op.
1 mouw met winkelhaak,

1 gescheurde broek,
1 kapotte bril.
Niet mis. En veel te veel voor het verhaal 'over de stoeprand gestruikeld'.
Hij zuchtte diep.
'Nou?' zei zijn moeder. 'Heb je gevochten, of wat?'
'Ik ben gevallen,' begon Daan. Dat was alvast waar. 'Over een hekje,' voegde hij eraan toe. Dat was óók waar.
'Over een hekje,' zei zijn moeder. Ze haalde haar handen door haar haar, zodat haar krullen woest overeind stonden.
'Jij valt zomaar spontaan over een hekje? Ik wil een fatsoenlijk antwoord van je, Daan. Je ziet er verdorie uit alsof je ingebroken hebt!'
Daan dacht met een schuldig geweten aan opoe Roos. Het scheelde ook niet veel, eigenlijk.
'Ik ben echt over een hekje gevallen,' zei hij. 'Bij Zonnegloren. We waren… uh, Eva en ik, we keken daar naar binnen. Vanwege die diefstallen, begrijp je wel?'
'Nee,' zei zijn moeder. Ze sloeg haar armen over elkaar. 'Daar begrijp ik niks van.'
Daan zuchtte weer. Dit werd moeilijk.
'Nou,' zei hij. 'We hadden dus bedacht dat we daar wel eens een beetje konden rondsnuffelen, snap je? Eva dacht dat we dan misschien wel iets zouden zien dat ons op het spoor van de dief zou brengen.'
Hij hoorde zelf dat het klonk als een slecht jongensboek, maar hij ging dapper verder. 'Dus en toen zijn we aan de achterkant gaan kijken, waar al die struiken staan, weet je wel?'
Zijn moeder knikte kort. 'Ik weet hoe het eruitziet. En toen?'
Daan peuterde aan een scherfje dat nog aan zijn bril vastzat.
'We waren al een heel eind,' zei hij. 'En we hadden niks gezien. Niks bijzonders, tenminste. Maar toen kwamen we bij opoe Roos, en

die zag ons, en die begon te gillen, en toen renden wij weg, en toenne, toen viel ik. Over het hekje,' zei hij nog eens.
Het scherfje viel in zijn hand. De lege bril keek hem bestraffend aan.
'Zijn jullie nou helemáál van de ratten besnuffeld!' barstte zijn moeder los. 'Om dat arme ouwe mensje de stuipen op het lijf te jagen! Ze had er wel in kunnen blijven, begrijp je dat wel? Hoe háál je het in je hoofd!'
'Het was eigenlijk meer Eva's idee,' zei Daan lamlendig, en voelde een kleur opkruipen in zijn hals. Waarom zei hij dat nou?
'Eva's idee!' snoof zijn moeder. 'Waar jij dan braaf aan meedeed. Een wankele ridder ben je!'
'Ja, nou...' zei Daan.
'Niks ja nou,' zei zijn moeder kortaf. 'Ik laat morgen een bos bloemen bij opoe Roos bezorgen, op jullie kosten. Een gróte bos bloemen. Da's wel het minste wat je kunt doen. En verder bemoeien jullie je nergens meer mee, begrepen?'
Daan knikte. Hij trok zijn jack uit en hing het aan de kapstok. Zijn moeder griste het er weer af.
'Dat jack zal ik meteen wel maken. Zo kun je daar morgen niet in naar school. En ik zou nog studeren ook, vanavond. Verdomme, Daan, gebruik je hersens!'
Daan sloop met zijn staart tussen zijn benen achter haar aan naar de kamer. Hij rolde zijn broekspijp op en inspecteerde zijn knie, die flink geschaafd was. Een straaltje opgedroogd bloed liep langs zijn been naar beneden en verdween in zijn sok. Het zag er indrukwekkend uit, vond hij.
Zijn moeder rommelde in de naaidoos, en plofte met naald en draad op de bank neer. Ze keek ook naar de knie.
'En ik vind je lekker níet zielig,' zei ze.

17

'Ga je zo meteen even mee naar het ziekenhuis, Daan?' vroeg zijn moeder onder het eten.
Daan trok een gezicht. 'Moet dat?'
'Moeten niet,' zei zijn moeder. 'Maar ik zou het op prijs stellen als je het deed. En mevrouw Bals ook, denk ik. Trouwens, sinds jij zo begaan bent met het lot van oude mensen...' Ze lachte plagend.
'Ha ha,' zei Daan knorrig. Hij duwde zijn nieuwe bril wat hoger op zijn neus. 't Was een mooie bril, maar hij zat nog niet lekker. 'Best, dan ga ik wel mee.'
Die middag had zijn moeder mevrouw Bals naar het ziekenhuis gebracht. Ze zou de volgende ochtend aan haar spataderen worden geopereerd.
'Ze was één bonk zenuwen, vanmiddag,' vertelde zijn moeder. 'Ik had echt met haar te doen.'
Ze begon de tafel af te ruimen.
'En nog wat: ik heb beloofd dat jij voorlopig de boodschappen voor haar doet, als ze weer thuis is. Want de eerste tijd kan ze natuurlijk nog niet uit de voeten.'
Toe maar, dacht Daan. Maar hij zei niks. Het leek hem verstandiger om zich nog maar even gedeisd te houden.

In de hal van het ziekenhuis liep zijn moeder naar de informatiebalie.
'Even vragen op welke zaal ze ligt.'
Daan keek om zich heen. Jasses, hier in de hal stonk het al, dat rare muffe ziekenhuisluchtje. Hij herinnerde het zich nog van toen opa

in het ziekenhuis lag, terwijl dat toch al een paar jaar geleden was. Gek dat je zo'n geur niet vergat.
'Tweede verdieping, zaal 41-B,' zei zijn moeder. 'Rechtuit, en aan het eind van de gang de trap op.'
Daan liep zwijgend achter haar aan. Verpleegsters op piepende zolen haastten zich langs hen heen. Overal stonden de deuren open, en zaten en stonden mensen druk pratend rond de bedden. Ze beklommen de trap en telden de nummers af.
'Hier is het,' wenkte zijn moeder.
Ze liepen de zaal op en keken zoekend rond. Vier bedden aan elke kant, en bij bijna elk bed zat al bezoek. Rechts achteraan zat mevrouw Bals rechtop in de kussens. Ze zwaaide opgewonden.
'Joehoe!'
Haar ogen schitterden, en op haar wangen plekten vurige blosjes. Ze droeg een lichtblauw nachthemd met frivole strikjes.
Daans moeder trok verwonderd haar wenkbrauwen op.
'Nou, u bent een stuk vrolijker dan vanmiddag.'
'Welja meid,' zei mevrouw Bals joviaal. 'Dag jongen, ben jij d'r ook?'
'Welja,' zei ze weer. 'Geen zorgen voor morgen, want de angst voor morgen komt steeds een dag te vroeg.'
'Zo is dat,' zei Daans moeder opgewekt.
Ze overhandigde de meegebrachte plant.
'Daar hebt u meer aan dan aan een bloemetje, want die kunt u niet mee naar huis nemen. En zo hebt u toch iets om naar te kijken.'
'Aggot, wat lief,' zei mevrouw Bals aangedaan. 'Dat had je nou niet moeten doen. Je doet toch al zo veel voor me, kind.'
Ze viste een zakdoekje uit de mouw van haar nachthemd en veegde ermee over haar ogen. Daan en zijn moeder trokken een krukje bij.
Mevrouw Bals moffelde het zakdoekje weer weg. Ze boog zich voorover en zei samenzweerderig: 'Weet je dat ik sterf van de hon-

ger? Ze geven je hier niks te eten. Ik zou een moord doen voor een bal gehakt!'
Daans moeder lachte. 'U zult wel nuchter moeten blijven voor de operatie morgen.'
'Nuchter?' giechelde mevrouw Bals. 'Zeg dat wel, me maag is zo leeg als een plastic zakkie.'
Er ontsnapte haar een boertje, en ze sloeg haar hand voor haar mond. 'Vraag excuus!' riep ze jolig.
Wat doet ze opgefokt, dacht Daan. Zouden dat de zenuwen zijn? Hij keek naar zijn moeder en zag dat het haar ook opviel.
'Hebt u al kennisgemaakt met uw buren?' vroeg ze afleidend.
Mevrouw Bals wees met haar duim naar het bed aan de overkant. 'Da's een aardig wijffie. Galblaas. Moet morgen ook voor het vuurpeloton. Maar die,' de duim ging naar links, 'die kan ik niet verstaan, die heb d'r gebit niet in.'
Daan gluurde achterom naar het andere bed. Er lag een broos oud vrouwtje in, met dun, spierwit haar. De roze hoofdhuid schemerde erdoorheen. Ze staarde met vage ogen voor zich uit, en haar mond murmelde onbegrijpelijke woordjes. Ze was zo klein en verschrompeld dat haar lichaam maar nauwelijks een bult maakte onder de dekens.
'Volgens mij is die niet meer helemaal jofel,' zei mevrouw Bals veel te hard. Ze tikte nadrukkelijk op haar voorhoofd. 'Beetje in de war hierzo.'
Daan keek schichtig om zich heen, maar niemand lette op hen.
'Die kreeg wél wat te eten,' zei mevrouw Bals jaloers. 'En ze wou het geeneens. Zonde, een lekker lappie vlees was d'r bij. Kon ze zeker niet kauwen. En de zuster,' ging ze in één adem door, 'zuster Ida is dat, daar had ik het al mee aan de stok, vanmiddag. Een náár mens, zuster Ida. Niks geen lieve zachte verpleegster. Dat lees je toch altijd in die boekies? Dan zijn 't altijd van die aardige zustertjes. Nou, deze heeft háár op d'r tanden.'

Haar stem werd steeds luider, en de blosjes steeds roder. Er werden hoofden in hun richting gedraaid, en hier en daar werd zachtjes gelachen. Daan wriemelde aan de rits van zijn jack.
'Doet u nou maar een beetje kalm aan,' suste zijn moeder. 'Het zal best meevallen met zuster Ida. Voor die paar dagen lukt dat toch wel?'
'Nou ja,' pruttelde mevrouw Bals. 'Dat betuttelen, dat ben ik niet gewend. Ik ben al zo lang op me eigen. O! Nou zou ik 't haast wéér vergeten, je moet de sleutel nog hebben, voor me plantjes.'
Ze boog zich opzij en rommelde in haar nachtkastje. Ze haalde haar handtas eruit, en meteen viel er een fles kletterend op de grond. Een plasje bruin vocht lag tussen de scherven. Er steeg een doordringende drankklucht uit op.
Daan en zijn moeder keken elkaar aan, en vervolgens naar mevrouw Bals. Die keek verschrikkelijk schuldig.
Daans moeder wreef over haar mond.
'Ik zal de zuster even bellen om de rommel op te ruimen,' zei ze neutraal.
Mevrouw Bals maakte een verschrikt gebaar, maar Daans moeder drukte al op het knopje naast het bed.
Even later kwam een potige verpleegster de zaal op draven.
'U bent zeker zuster Ida?' vroeg Daans moeder. 'We hadden een ongelukje.' Ze wees naar de scherven.
'O, dat ruimen we wel even op,' zei zuster Ida opgewekt. 'Even een emmer en een dweil...' Ze zweeg en rimpelde haar neus. Ze bukte zich, snoof, en kwam weer overeind.
'Is dat dránk?' vroeg ze verbijsterd.
'Daar lijkt het wel op,' zei Daans moeder. Mevrouw Bals frommelde aan de frivole strikjes en zei niks.
'Ja maar,' zei de zuster. 'Dat is toch... Dránk op zaal! Hebt ú dat meegebracht?'
'Natuurlijk niet,' zei Daans moeder. 'Ze zal het meegesmokkeld hebben.'

Zuster Ida keek naar mevrouw Bals, die zachtjes zat te neuriën en net deed of het haar allemaal niet aanging.
'Hoeveel zat er nog in die fles?' vroeg ze streng.
Mevrouw Bals hield op met neuriën.
'Bodempje.'
De zuster boog zich naar haar over en besnuffelde haar gezicht als een rat een kadaver. Daan voelde de slappe lach opborrelen. Hij durfde niet naar zijn moeder te kijken.
'Mevrouw!' zei zuster Ida verontwaardigd. 'Als ik u op een proefballonnetje liet blazen, zou het knallen!'
Ze zette haar handen in de zij.
'Wat moet ik nou met u? U stond als eerste op de lijst voor morgen. Nu moet het hele schema weer worden omgegooid.'
Mevrouw Bals luisterde niet goed.
'Omgegooid? Ik heb niks omgegooid!' riep ze schel. 'Die fles kwam zomaar uit dat kassie rollen!'
De zuster schudde haar hoofd.
'Ik moet dit rapporteren,' zei ze tegen Daans moeder. 'Ik zal de dokter halen. Drank op zaal! Ze mocht niet eens éten! Ze moest nuchter blijven.'
'Tja, nuchter is ze niet,' beaamde Daans moeder, en Daan barstte in lachen uit.
Zuster Ida fronste afkeurend en marcheerde de zaal af.
Daans moeder beet op haar lip in een poging om zich goed te houden, maar toen knalde ze ook los.
'Nuchter!' huilde ze. 'O, help, Daan, ik lach me een ongeluk!'
Ze schaterden zo hard dat zelfs het vrouwtje in het andere bed ophield met murmelen.
Zuster Ida kwam weer binnen met de dienstdoende arts in haar kielzog. Het was een nog jonge man met een woeste bos rood krulhaar, en een spijkerbroek onder zijn witte jas.
'Zo,' zei hij gemoedelijk. 'Het is hier een vrolijke boel, geloof ik.'

Daans moeder veegde de tranen uit haar ogen. 'Sorry, dokter.'
De dokter trok een krukje onder het bed vandaan en leunde gezellig met zijn ellebogen op de dekens.
Zuster Ida posteerde zich met over elkaar geslagen armen aan het voeteneind.
'Wat hoor ik, mevrouw,' zei de dokter. 'Had u zich alvast een beetje moed ingedronken? Mag ik vragen hoevéél moed?'
Mevrouw Bals plukte met neergeslagen ogen aan de dekens.
'Half flessie,' zei ze onduidelijk.
De dokter bestudeerde verbluft de scherven.
'Een hálve fles?' zei hij ongelovig. 'Een halve fles cognac?'
Hij begon te lachen. 'Nou, dan ziet u er nog florissant uit, moet ik zeggen.'
'Zonde om thuis te laten staan,' mompelde mevrouw Bals.
'Het bederft anders niet, hoor,' grinnikte de dokter.
'Nou ja,' zei mevrouw Bals schuw. 'Ik dacht, één slokje zal niet hinderen, enne...'
'Van het één kwam het ander,' begreep de dokter.
Hij stond op. 'Tja, het kwaad is nu al geschied. Zet mevrouw maar voor overmorgen op de lijst, zuster. Ze moet eerst, eh... ontnuchteren.'
Hoofdschuddend beende hij de zaal uit.
'Een halve fles cognac, heb je 't ooit zo zout gegeten?'

18

De zon scheen in het klaslokaal, recht op Daans tafel. Hij kneep zijn ogen dicht en voelde zich als een kat in de vensterbank.
Voor het bord oreerde meester Neteman over het verschil tussen een zelfstandig en een bijvoeglijk naamwoord, maar Daan luisterde niet. Lekker, die zon. 't Werd nou echt lente, de krokussen bloeiden, en de tulpen die zijn moeder elk jaar plantte in een bak op het balkon, staken al een decimeter boven de grond. Straks weer zonder jas naar school, en Eva had gezegd dat hun zwembad volgende week gevuld zou worden. Voorlopig was het nog te koud, natuurlijk, maar toch... Jofel, een eigen zwembad. Daan zag zich al met een drankje in zijn hand op de rand zitten. Dat zag je in die televisiereclames ook altijd. Daarin wemelde het van de gespierde boys, die omringd waren door mooie meisjes. Hij gaapte.
De stem van meester Neteman dreunde eentonig door de klas, en Daan gaapte nog eens.
'...toekomstig beroep,' zei de Luis. 'Dat lijkt me voor achtstegroepers een interessant onderwerp.'
Daan spitste zijn oren. Waar hád-ie het eigenlijk over? Hij ging rechtop zitten.
'Ik zie dat Koning Daan intussen ook is ontwaakt,' zei de Luis vriendelijk. 'Wat wil jij worden, later?'
'W... w... iets met fossielen,' stotterde Daan.
'Dat kan ik al een beetje zien,' vond de Luis. Hij liep naar het bord en schreef: Wat wil ik later worden, en waarom?
Hij draaide zich om.

'Weet je nog niet wat je wilt worden, dan kies je een beroep dat je interessant lijkt. Je verzamelt er zoveel mogelijk informatie over en maakt een aardig werkstuk. Alles mag. Tekenen, schilderen, knutselen, je ziet maar. Jullie hebben vier weken de tijd. Dat is lang, dus ik verwacht behoorlijke resultaten. En denk eraan dat jullie rekening met elkaar houden. Dus geen zes piloten en acht verpleegsters. De werkstukken worden tentoongesteld in de grote hal.'
Abah, alwéér een project, dacht Daan.
Het laatste lag hem nog vers in het geheugen. Toen hadden ze het vegetarisme behandeld. Onderdeel van het project was een bezoek aan het abattoir geweest. Daan had een week lang geen vlees gegeten.
Maaike stak haar vinger op. 'Ik wil écht verpleegster worden, meester. Moet ik dan toch iets anders kiezen?'
Meester Neteman schudde zijn hoofd. 'Als je het echt zeker weet, dan moet je dat doen. Maar denk ook eens aan andere verzorgende beroepen. Wijkverpleegster, kraamverzorgster, bejaardenzorg, er zijn er genoeg.'
Bejaardenzorg... Bejaardenzorg???
In Daans hoofd liep luid rinkelend een wekker af.
DAT WAS HET!! Hij sprong van zijn stoel.
'JA!!' riep hij hardop.
Iedereen lachte. Daan keek verwezen om zich heen.
'Ik dacht dat jij in de fossielen ging?' vroeg meester Neteman.
Daan ging weer zitten. 'Nee... ja,' zei hij verward.
Zijn hersens draaiden op volle toeren. Dat was het! Dat was de manier om bij Zonnegloren binnen te komen! Een project! Ze gingen gewoon naar de directeur om te vragen of ze mochten rondkijken en vragen stellen. Voor een project moest dat, dat wist iedereen! Daan voelde zich of hij net de elektriciteit had uitgevonden.
Opgewonden stootte hij Eva aan.
'Ik weet het!' fluisterde hij.

'Wat?' vroeg Eva.
'Hoe we bij Zonnegloren binnen moeten komen!' zei Daan. Hij leunde naar haar over. 'We doen net of...'
'Daan Koning, Eva van Tuil, kan dat getortel afgelopen wezen?' vroeg de Luis.
'Roekoe!' riep Jochem.
De klas lachte. Iedereen wist zo langzamerhand dat Daan en Eva onafscheidelijk waren.
'Vertel het je straks wel!' siste Daan.

'Maar gebruiken we dat dan écht voor het project?' vroeg Eva op weg naar huis.
'Ben je gek,' zei Daan. 'Het is alleen maar een smoes om binnen te komen.'
'Gelukkig,' zei Eva. 'Want ik wil helemaal niet in de bejaardenzorg.'
'Wat kies jij eigenlijk voor beroep?' vroeg Daan nieuwsgierig.
'Weet nog niet,' zei Eva. 'Stewardess misschien, want ik wil veel reizen, later.'
'Maar wat vind je ervan?' drong Daan aan.
'Te gek!' zei Eva enthousiast. 'Zullen we er nu even heen gaan?' zei ze voortvarend. 'Dan kunnen we meteen beginnen. Ik wil ook die ouwe mensen ondervragen die bestolen zijn. Weet jij nog precies wie dat waren?'
Daan telde op zijn vingers. 'Opoe Roos, meneer Fabricius, opa Baas, en gisteren mevrouw De Vries. Mijn opa belde gisteravond op, en toen vertelde hij het. Mevrouw De Vries is die mevrouw die toen in het ziekenhuis lag, weet je wel?'
'In dok,' zei Eva, en lachte. 'Wat is er bij mevrouw De Vries gestolen?'
'Haar portemonnee en een ring,' zei Daan. 'Ze wist niet precies hoeveel er in haar portemonnee zat. Maar dat kon haar ook niet

zoveel schelen. Die ring vond ze veel erger. Die was nog van haar moeder geweest.'

'Rotzakken,' zei Eva grimmig. 'Kom op, detective Koning, erop af!'

'Een alleraardigst idee,' zei de directeur welwillend. 'En hoe hadden jullie je dat voorgesteld?'

Ze zaten in zijn kamer, elk met een glas cola voor zich. Daan keek Eva aan.

'We wilden graag wat interviews afnemen,' legde Eva uit. 'Met een paar ouwe... eh, met een paar bewoners, en ook met mensen die hier werken. We wilden eigenlijk met u beginnen,' voegde ze er handig aan toe.

Slim, dacht Daan.

De directeur knikte. 'Ik heb nu helaas weinig tijd,' zei hij. 'Maar morgen na school zijn jullie van harte welkom. Jullie blijven toch wel met zijn tweeën? Dat we hier straks niet de halve klas over de vloer hebben, bedoel ik?'

Ze knikten haastig.

'Alleen wij,' verzekerde Daan.

De directeur stond op.

'Afgesproken. En laat me even weten wanneer jullie klaar zijn. Ik ben trouwens ook heel benieuwd naar het resultaat.'

'Verdorie,' mopperde Daan op de gang. 'Nou moeten we ook nog iets in elkaar prutsen om het echt te laten lijken. Dat kost alleen maar tijd.'

'Welnee,' zei Eva zorgeloos. 'Dat is die man over een paar weken allang weer vergeten. Die heeft wel wat anders aan zijn hoofd.'

'Mmm,' twijfelde Daan. Hij besloot om de aantekeningen die ze zouden maken, toch maar netjes uit te werken. Je kon nooit weten.

19

Gewapend met pen en papier togen ze de volgende dag direct na school naar Zonnegloren.
'We stellen maar een páár vragen, hoor!' fluisterde Eva toen ze voor de directeurskamer stonden. 'Per slot kan die vent ons niks schelen. Die zal heus voor een paar tientjes die ouwe mensen niet bestelen.'
Daan knikte en klopte aan.
Niks. Hij klopte nog eens, nu wat harder.
Weer niks. Daan duwde de deurkruk naar beneden.
Op slot.
'Hij is er niet,' zei hij verbaasd.
'Des te beter,' vond Eva. 'Dan kunnen we gelijk door. Wie nemen we eerst?'
'Kweenie,' zei Daan. 'Een van de verzorgsters?'
'Daar heb je er al een,' wees Eva.
Een blauwe gestalte kwam haastig op hen toelopen.
'Komen jullie voor dat project?'
Ze knikten.
'De directeur moest onverwacht weg,' zei de verzorgster. 'Maar hij heeft gezegd dat jullie vrij mogen rondkijken. Ik heb jou geloof ik wel eens vaker gezien. Jij bent toch de kleinzoon van meneer Koning?' zei ze tegen Daan.
'Jep,' zei Daan. 'Ja,' verbeterde hij haastig.
Het meisje lachte. 'Ik ben Mia. Gaan jullie mee naar de keuken? Ik denk niet dat de kok veel tijd heeft om vragen te beantwoorden, maar misschien vinden jullie het leuk om te zien hoe er voor zoveel mensen gekookt wordt.'

Op klepperende muilen liep ze voor hen uit.
Achter haar rug stak Eva haar duim op. 'Gaat goed!'
In de keuken was het smoorheet. Twee mannen waren bezig aan een meterslang aanrecht en een dubbel fornuis, waarop reusachtige pannen stonden te sissen en te dampen. Uit de radio schalde keihard de nieuwste hit.
Daan snoof. Spruitjes. Gatver.
De oudste van de twee mannen zag zijn gezicht en grijnsde.
'Hapje proeven?' bood hij aan.
Daan schudde beleefd zijn hoofd. 'Dank u wel.'
'Ze doen een project voor school,' legde Mia uit. 'Ze willen wat vragen stellen, is dat goed?'
De kok knikte en Eva haalde haar blocnote te voorschijn. 'Voor hoeveel mensen kookt u nou?'
De kok krabde onder zijn muts en keek omhoog naar het plafond, alsof het antwoord daar te lezen stond.
'Een dikke tachtig, schat ik.'
Eva keek op haar horloge. 'Maar het is pas halfvier, wordt dat eten dan niet koud? Of eten ze hier heel vroeg?'
'De bewoners eten om vijf uur,' legde de kok uit. 'Dus we moeten wel vroeg beginnen. 's Ochtends maken we de groente schoon, schillen de aardappelen, koken vla, dat soort dingen. Soep maken doen we al een dag van tevoren, bijvoorbeeld. Dat hoeven we dan alleen nog maar warm te maken.'
Eva knikte en schreef.
'Komt u, eh... brengt u zelf het eten naar de eetzaal?' vroeg Daan. Hij wist best dat dat niet zo was, maar Eva hoefde niet meteen weer haantje de voorste te wezen.
'Nee, dat doen wij,' zei Mia. 'En wij ruimen ook weer af, natuurlijk. Zeg, jullie redden je verder wel, hè? Ik moet weer aan het werk.'
Ze klepperde de keuken uit. Daan draaide zich weer naar de kok.
'Dus u blijft de hele dag in de keuken?'

De kok knikte. Hij tilde een paar deksels op, greep een grote houten lepel en roerde.
'Jullie mogen hier best nog even blijven, als je ons maar niet voor de voeten loopt. Misschien heb je wel eens gehoord dat er personeelstekort is in de verzorgende sector? Nou, dat is hier dus ook zo. Of personeelstekort is eigenlijk het goeie woord niet. Er mogen niet meer mensen worden aangenomen, omdat er te weinig geld is. Daarom zijn wij hier ook maar met z'n tweeën, terwijl we vroeger met zijn vieren waren. Iedereen rent de benen onder zijn gat vandaan, maar klaar ben je nooit. Schrijf dat er ook maar bij.'
Eva knikte, en noteerde ijverig.
De kok wees naar een papier dat aan een prikbord hing.
'Dat is het menu voor de komende veertien dagen. Zo kunnen we al dagen tevoren zien wat we moeten bestellen.'
Daan bestudeerde de lijst. Spruiten met kalfsvlees, zag hij. Dat zou dus wel voor vandaag zijn. Eens kijken wat ze morgen aten. Zuurkool met worst en yoghurt met appel. Hm, lekker. Hij keek verder, grinnikte toen hij voor de komende dinsdag bruine bonen zag staan. Arme opa.
Eva trok aan zijn mouw.
'Ga je mee? Ik heb het hier wel gezien.'
Daan knikte.
'Hartelijk bedankt,' zei hij tegen de kok.
Die stak een hand op. De andere man stond in een razend tempo glazen schaaltjes met gele vla te vullen. Hij ging zonder te morsen van het ene schaaltje naar het andere, zag Daan. Jemig, dat had-ie vast al eens eerder gedaan.

'Die kunnen we dus ook wel schrappen,' zei Eva, toen ze weer op de gang stonden. 'Die mannen hebben de tijd niet om uit stelen te gaan, al zouden ze willen. Wie zullen we nu...'

Aan het eind van de gang verscheen een figuur in blauw spijkerjack, een ladder over zijn schouder.
'Bert!' fluisterde Daan.
Als bij afspraak begonnen ze allebei harder te lopen.
'Ha, die Bert!' riep Eva enthousiast.
Bert keek op. 'Hoei.'
'We willen... mogen we je wat vragen?' zei Daan haastig. 'We doen een project voor school, over de bejaardenzorg. Dus en nou interviewen we de mensen die hier werken, snap je?'
Bert snapte het. 'Vraag maar op.'
Hij legde de ladder neer en haalde een pakje shag uit de borstzak van zijn jasje. Hij ging met gekruiste benen op de grond zitten en klopte uitnodigend naast zich.
'Kom erbij zitten.'
Eva en Daan lieten zich zakken. Eva wapperde weer met haar notitieblok.
'Vraag één,' zei ze professioneel. 'Hoe lang werk je hier al?'
Bert stak zijn sjekkie aan. 'Maandje of vier.'
'De hele week?' Eva hield haar pen in de aanslag.
'Drie dagen per week,' zei Bert. 'Maandag, dinsdag en woensdag.'
'Werk je de rest van de week ergens anders?' vroeg Daan achteloos.
Té achteloos. Bert keek hem met opgetrokken wenkbrauwen aan.
'Wat gaat jou dat aan?'
Daan haalde zijn schouders op.
'Ik vroeg het zo maar. Als je maar drie dagen werkt, verdien je toch niet veel?'
Bert grijnsde. 'Met vijf dagen ook niet. Ik ben ongeschoold, dan verdien je altijd maar een schijntje.'
'En wat voor werk doe je hier allemaal?' vroeg Eva.
''s Maandags klus ik binnen,' zei Bert. Hij plukte een tabaksdraadje van zijn lip. 'En dinsdag en woensdag ben ik in de tuin bezig. Tenminste, straks in de zomer. En ik doe ook wel eens wat

voor die ouwe mensies hier. Dat hoort er eigenlijk niet bij, maar och.'
'Wat aardig van je,' zei Eva. Ze lachte naar hem. 'Net zoals laatst met de televisie van Daans opa?'
'Precies.' Bert ontdooide een beetje.
'Weet je wat 't is,' zei hij gewichtig. 'Die ouwe mensen hebben nergens meer verstand van, hè? Van de moderne techniek bedoel ik. Als er een lampie springt, slaan ze al op tilt. En ik pruts graag. Ik heb een jaar elektrotechniek gedaan, dus ik weet er wel wat van.'
Eva schreef als een razende.
'Vind je het hier leuk?' vroeg Daan.
Bert zoog aan zijn sjekkie en verdeelde met zijn wijsvinger een kegeltje gemorste as over het linoleum.
'Mwah. Gaat wel. Je moet toch wat doen, hè? Je kan niet de hele dag op je luie kont zitten. Dan verveel ik m'n eigen te barsten. En ik rommel er nog wel eens wat bij ook.'
Hij knipoogde. 'Zwart, je snapt me wel.'
'Dus,' zei Eva, die vond dat ze van hun onderwerp afdwaalden, 'je komt in het hele huis? Je kan overal zomaar, uh... je mag overal komen?'
'Nogal logisch.' Bert drukte zijn peukje uit op de zool van zijn laars. 'Ik heb overal de sleutels van, anders kan ik niet werken.'
'Ook van de bewoners?' vroeg Daan snel.
Bert schudde zijn hoofd. Het staartje zwierde van links naar rechts. Hij had vandaag een kurkentrekkertje in zijn oor, zag Daan.
'Bejje gek,' zei Bert. 'Van de werkruimtes, bedoel ik. Alleen de verzorgsters hebben sleutels van alle kamers. Voor als er iets gebeurt, hè? D'r wordt er wel eens eentje ziek of zo.'
Daan knikte. Hij keek nog steeds naar het kurkentrekkertje. Het was niet zo groot, maar het moest toch behoorlijk zwaar zijn, want het was van dik metaal. 'Doet dat niet zeer?' vroeg hij.
'Niks hoor,' zei Bert trots. 'Heb ik er zelf in gemaakt, dat gaatje.

Gewoon met een hete stopnaald. Ik heb er elke dag wat anders in. M'n moeder koopt die dingen voor me op de markt, bij de rommelkoopman,' zei hij trouwhartig.
Hij krabbelde overeind en hees de ladder weer op zijn schouder. 'Weten jullie nou genoeg? 't Is m'n tijd.'
Eva en Daan stonden ook op. 'Bedankt hoor.'
'Succes verder,' wenste Bert. Hij sjokte de gang door. Een eind verderop draaide hij zich om. 'Je opa's televisie doet 't nog steeds!' schreeuwde hij.
Ze lachten.
'Hij is best aardig,' zei Daan zacht. 'Ik geloof nooit dat hij...'
'Hij kan anders overal komen,' zei Eva. 'Dat zei-ie zelf. En die oude mensen doen overdag nooit hun deur op slot. Jouw opa ook niet, dat is me al een paar keer opgevallen.'
Daan keek op zijn horloge. 'Wou je nog meer doen vandaag? Ik moet ook nog boodschappen doen.'
Mevrouw Bals was weer thuis, maar ze zat nog dik in de zwachtels. Daan ging drie keer per week voor haar naar de supermarkt.
Eva stopte haar blocnote weg.
'Oké, dan gaan we morgen verder.'
Ze liepen de gang door, de hal in en door de glazen deuren naar buiten. Eva stootte Daan aan. 'Daar gaat Bert.'
Ze keken hem na. Tot hun stomme verbazing liep Bert regelrecht naar een auto die langs de stoeprand geparkeerd stond, stapte in en reed weg.
Met grote ogen keken ze elkaar aan.
'Dat is een gloednieuwe auto!' zei Daan opgewonden. 'Zag je dat? Zou die van hem zijn?'
'Hoe kan dat nou,' zei Eva. 'Hij verdient toch bijna niks, dan kun je toch geen auto kopen? Hoe weet je trouwens dat het een nieuwe auto is?'
'Dat zie je toch aan het kenteken,' zei Daan ongeduldig.

In de verte verdween de auto om de hoek, de zwarte lak fonkelend in de laatste stralen van de ondergaande zon.
Detectivebureau Koning en Van Tuil bleef peinzend op de stoep staan.
'Heel verdacht, Sherlock,' grinnikte Daan.
'Wat je zegt, mijn beste Watson!' lachte Eva.

20

'Hoe laat gaan we?' vroeg Eva om twaalf uur.
Ze stonden op het schoolplein. Onder de dakgoot, want het regende.
'Uurtje of twee?' stelde Daan voor. 'Ik moet nog afwassen en stofzuigen.'
'Moet jij dat doen?' vroeg Eva verbaasd.
'Anders niet,' zei Daan. 'Maar nou wel. M'n moeder studeert zich te pletter, want ze moet over een paar weken examen doen. Dus nou help ik zoveel mogelijk, dan kan zij 's avonds meteen aan de slag. Ze zegt dat als ze nou wéér niet slaagt, dat ze er dan mee ophoudt.'
'Zonde,' vond Eva.
Daan knikte. 'Maar ze is al heel lang bezig, dus ze heeft er zo onderhand wel genoeg van, natuurlijk.'
'Denk jij dat ze slaagt?' vroeg Eva.
Daan haalde zijn schouders op.
'Ze heeft heel hard gewerkt, maar ja. Zelf denkt ze van niet.'
'Dat denk je altijd met examens,' zei Eva wijs. 'Zal ik je ophalen?'
'Op de fiets,' zei Daan. 'Tot straks.'
Hij rende over het plein, ontweek springend een paar plassen.
'Waarom op de fiets?' gilde Eva hem achterna.
'Leg ik je straks wel uit!' schreeuwde Daan.

'Waarom moesten we nou op de fiets?' vroeg Eva.
Ze tornden tegen de wind in. De regen sloeg hun in het gezicht.

Hoe bedoel je, lente, dacht Daan. Zijn knokkels glommen wit op z'n stuur.
'Omdat ik heb nagedacht,' zei hij.
'Góh,' zei Eva bewonderend.
'Ha ha.' Daans bril besloeg. Hij probeerde fietsend de glazen op te wrijven, en klapte bijna om.
'Vandaag is het woensdag, ja?'
'Klopt,' zei Eva.
'Dus Bert werkt vandaag, ja?'
'Klopt.' Eva trapte wat harder om hem bij te houden.
'En we willen weten waar hij woont, toch? Dus als hij weer met de auto is, kunnen we hem lopend natuurlijk niet volgen. Maar op de fiets wel.'
Triomfantelijk keek hij opzij.
Eva hing bijna dubbelgevouwen over haar stuur.
'Je had nog een beetje méér moeten nadenken,' hijgde ze. 'Met deze wind houden we hem toch nooit bij? Dat houden we geen drie straten vol. En wie weet woont hij wel helemaal aan de andere kant van de stad!'
Daan keek op zijn neus. Verdorie, moest ze nou altijd slimmer zijn? Chagrijnig veegde hij een natte haarsliert uit zijn gezicht. Ze trapten zwijgend verder, maar toen ze bij Zonnegloren hun fietsen in het rek zetten, klaarde hij op.
'Jij hebt toch zo'n puntkam?'
'Ja, hoezo?' vroeg Eva.
'Heb je die bij je?'
Eva groef in haar zakken. 'Hier. Wat is daarmee?'
Daan streek met zijn duim over de scherpe metalen punt van de kam, daarna wees hij grijnzend naar de stoep, waarlangs een zwarte auto geparkeerd stond.
'Berts auto, wat heeft die met mijn puntkam te maken?' vroeg Eva.
'Alles.' Daan liep naar de auto. Eva holde achter hem aan.

'Wat ga je doen?'
'Eén keer raaien.' Daan grijnsde van oor tot oor.
'Maar... je kunt toch niet zomaar een band lek prikken?' vroeg Eva ademloos.
'Weet jij iets beters?' vroeg Daan.
Eva wist niks beters. Ze kuierden rond de auto en keken naar binnen.
'Moet je dat zien!' zei Eva. Ze drukte haar gezicht tegen het achterraampje. 'Er liggen wel vier jassen achterin, allemaal nieuw.'
Daan tuurde door het glas. 'Suède jassen. Wat gek. Wie heeft er nou vier suède jassen?'
Eva wreef de druppels van de ruit om beter in de schemerige auto te kunnen kijken.
'De hangertjes zitten er nog in, zie je dat?'
Daan knikte. Twijfelend bleven ze staan.
'Gejat,' zei Eva beslist.
'Nnnou...' Daan aarzelde nog.
'Tuurlijk wel!' Eva kauwde driftig op het touwtje van haar capuchon.
'Niemand heeft vier suède jassen. En als je ze hebt, leg je ze niet achter in je auto, met hangertjes en al. Hij zei toch zelf dat hij er nog wel eens wat bij kluste? Zwart? De grapjas. Wat je klussen noemt!'
Daan duwde nadenkend zijn bril omhoog. Het wás raar. Misschien was er wel een heel logische verklaring voor, maar als die er was, kon hij hem niet bedenken.
'Kom op!' zei Eva. 'Prikken met die handel! Of durf je niet?'
Haar ogen straalden van opwinding, ze trok ongeduldig aan Daans mouw. 'Zal ík het doen?'
'Nee, ik,' zei Daan. 'Het was mijn idee. Komt er iemand aan?'
Eva spiedde om zich heen. 'Niemand. Toe dan!'
Daan hurkte neer. De zijkant, dacht hij. Daar zat geen profiel, mis-

schien ging het daar gemakkelijker. Hij zette de punt van de kam op de band en duwde. Niks. Hij duwde harder, maar de band gaf geen krimp. Daan begon te zweten. Opzettelijk iets vernielen viel nog niet mee. Hij deed zijn ogen dicht, telde tot drie en stak. De tanden van de kam drukten pijnlijk in zijn hand. PSSSS!! De lucht knalde naar buiten. Ze deinsden verschrikt achteruit. Binnen een paar seconden zakte de band als pudding in elkaar.
'Kom op,' zei Daan schichtig. 'Wegwezen!'
Ze holden naar de ingang van Zonnegloren en schoten de hal in. Zenuwachtig giechelend liepen ze door de gang. Daans hart bonkte onrustig. Als iemand hen gezien had, waren ze zwaar de sigaar. Wat zou zo'n band kosten? Hij kreeg visioenen van een leeg spaarbankboekje, of een jaar-zonder-zakgeld. Nou ja, hij kon er nou toch niks meer aan veranderen.
'Wat doen we hier eigenlijk?' vroeg hij. 'Ik bedoel, naar wie gaan we?'
Eva schudde zich als een natte hond. 'Zeg jij het maar.'
'Opa Baas?' stelde Daan voor. 'Opoe Roos krijg je geen zinnig woord uit, en meneer Fabricius ken ik niet zo goed.'
'Best,' vond Eva. 'Weet je waar hij zit?'
Daan bleef staan. 'Hier, geloof ik.'
Hij bonkte met zijn vuist op de deur.
'Niet zo hard, joh!' zei Eva geschrokken.
'Anders hoort-ie het niet,' legde Daan uit. 'Hij is zo doof als een kwartel.'
De deur ging open, en daar stond opa Baas. Klein, krom, knoestig, en op sokken. Achter zijn linkerwang zat een bobbel.
'Goeiemiddag,' zei opa krakend. Hij tuurde bijziend over zijn brilletje. 'Wat komen jullie doen?'
Eva deed een stap naar voren.
'We willen u graag wat vragen stellen, mag dat?'
Opa legde een hand achter zijn oor. 'Watte?'

'Laat mij maar,' zei Daan zachtjes.
'Ik ben de kleinzoon van meneer Koning!' schreeuwde hij. 'Mogen we even binnenkomen?'
Opa's pruim verschoof naar de andere kant. Hij knikte. 'Kom derin.'
Binnen schoof hij bedrijvig met stoelen.
'Ga zitten. Ik krijg niet zo vaak jongvolk over de vloer.'
Ze gingen zitten op pluchen stoelen met een hoge, rechte rug. Opa kauwde op zijn pruim. 'Vertel het maar.'
'We komen voor school!' loeide Daan. 'We willen u graag wat vragen stellen.'
'Vragen? Wat voor vragen?' vroeg opa wantrouwig.
'Over hoe het is in zo'n huis,' zei Daan. Hij vergat te schreeuwen.
'Naar huis, moet je nou alweer naar huis?' zei opa niet-begrijpend. 'Jullie zijn er net.'
Eva giechelde en Daan trapte waarschuwend tegen haar schenen. Hij zette zijn handen aan zijn mond.
'Over hoe het is om in Zonnegloren te wonen!' stormde hij.
'Je hoeft niet zo te schreeuwen,' stormde opa terug. 'Ik ben niet doof!'
Eva schudde.
'We doen een project op school,' riep Daan. 'Een werkstuk! Over de bejaardenzorg, begrijpt u wel?'
'Ja ja,' knikte opa. 'En wat wou je nou weten?'
'Hoe het hier is!' schreeuwde Daan. Hij voelde zich alsof hij in een kluchtig toneelstuk meespeelde, maar hij hield moedig vol. 'Bevalt het u hier?'
'Best,' zei opa Baas. 'Goed voer, en een warme stal.'
Hij grijnsde bruine stompjes tand bloot. 'Ik zit hier al twintig jaar, da's bijna levenslang, hi hi.'
'Hoe oud bent u dan?' gilde Eva.
'Zesennegentig,' zei opa trots. Hij spetterde een beetje, en veegde

in een gewoontegebaar met de mouw van zijn vest over zijn mond. De mouw zat vol bruine vlekken.
'Zesennegentig,' herhaalde opa Baas. 'En er mankeert me niks. Als 't moet doe ik de tachtig meter horden nog, hi hi! Ik ben nog zo fris als een hoentje!'
'En is het hier niet saai?' vroeg Eva.
Opa schudde zijn hoofd.
'Ik lees m'n krantje, ik los es een puzzeltje op, ik heb me televisie, wat wil een mens nog meer?'
Eva zat ijverig te schrijven.
'Is 't voor de krant?' vroeg opa. Hij wees naar het kladblok.
'Voor school!' schreeuwde Daan. Hij zat koortsachtig na te denken. Hoe konden ze het gesprek nou met goed fatsoen op die diefstallen brengen, zonder dat opa Baas het in de gaten had?
'Gebeurt er wel eens wat?' riep hij in het wilde weg.
'We gaan wel eens een dagje uit,' zei opa. Zijn pruim verhuisde weer naar zijn linkerwang. 'Naar het museum. Naar de dierentuin. En ook een keer naar de schouwburg. Toen ben ik trouwens niet mee geweest, want je mag daar niet pruimen, in de schouwburg. Maar 't kon me niks verschelen. Ze verkopen niks as leugenarij op zo'n toneel, en daar moet je dan ook nog voor betalen. Hi hi.'
Hij stak een knokig vingertje op.
'Het leven is een schouwtoneel, elk speelt zijn rol en krijgt zijn deel,' sprak opa zalvend. 'Weet je wie dat zei? Vondel zei dat, Joost van den Vondel, en gelijk had-ie.'
Zijn hoofdje wiebelde triomfantelijk op en neer.
'Dat hadden jullie niet gedacht, hè? Dat die ouwe opa Baas het zo mooi kon zeggen!'
Daan keek wanhopig naar Eva. Zo kwamen ze nergens.
Eva trok een gezicht alsof ze in het diepe sprong.
'Bent u laatst niet bestolen?' schreeuwde ze plompverloren.
Opa schoot enthousiast overeind.

'M'n portefulje!' riep hij. 'Weg. Pleite. En ik zat er levendig bij, hier, in m'n stoel. Ze durven wat, hoor, tegenwoordig, ze durven wat.'
'En hebt u niks gezien?' riep Daan. Of gehoord, wilde hij eraan toevoegen, maar dat slikte hij nog net op tijd in.
'Niks.' Opa mikte met geroutineerde precisie een straal tabakssap in een metalen bakje dat naast zijn stoel stond.
'Ik zat te tukken.'
Hij strekte zijn twijgdunne nekje naar voren. Zijn oogjes priemden. 'En de plietsie doet er niks an! Nou vraag ik je! Komen twee van die snotneuzen me vertellen dat ik m'n deur op slot moet houwen. Dat kan ik zelf ook wel bedenken. Ik zeg: hartelijk dank voor het advies, heren, maar kennen jullie niet beter boeven gaan vangen?'
Zijn pruim vloog verontwaardigd van links naar rechts.
'Misschien moet er een extra slot op,' zei Eva.
'De pot op!' riep opa. 'Dat zei ik ook. Maar ik heb er wat op gevonden! Hier...'
Hij grabbelde onder zijn vest en liet een leren buideltje zien, dat aan een koord om zijn nek hing.
'Knappe jongen die opa Baas z'n centjes nog afhandig maakt,' zei hij triomfantelijk. 'Lusten jullie een kerkganger?'
Kerkganger? Eva en Daan keken elkaar verwilderd aan. Opa mocht dan zesennegentig zijn, zijn tempo lag nog hoog.
'Wat is dat?' schreeuwde Daan.
Opa grinnikte als een ondeugende kobold. Hij stond op en schuifelde naar de kast.
'Dat kennen jullie niet, hè?' zei hij voldaan. Hij rommelde in de kast en draaide zich om. 'Hier. Dit zijn kerkgangers.'
In zijn aapachtige handje lagen twee grote witte pepermunten.

21

In een walm van pepermunt stonden ze op de gang. Eva kraakte de kerkganger tussen haar kiezen. 'Wat doen we nu?'
Daan keek op zijn horloge. ''t Is pas even over drieën. We kunnen er nog best eentje doen. We moeten tóch hier blijven tot Bert naar huis gaat.'
'Meneer Fabricius dan maar?' zei Eva.
'Goed.' Daan spuugde de pepermunt in zijn hand. 'Gatver, wat zijn die dingen sterk. Vind jij dat lekker?'
'Ik heb 'm al op,' zei Eva. 'Je moet hem gewoon stukbijten, dan merk je het niet zo.'
Ze liepen de gang door. Daan liet de kerkganger verdwijnen in een bak met Kaapse viooltjes. 'Zeg,' zei hij aarzelend. 'Heb jij nou het gevoel dat we al iets opgeschoten zijn?'
'Tuurlijk,' zei Eva verbaasd. 'Het gaat toch gesmeerd?'
'Ja maar, we krijgen niks nieuws te horen,' zei Daan. 'Dat van opa Baas wisten we al, enne...'
'Begin je weer te miezen?' riep Eva. 'We strépen toch? De koks zijn al afgevallen, en de directeur, en dat meisje, hoe heet ze, Mia. Die is veel te aardig om zoiets te doen. En je vergeet Bert!' Triomfantelijk keek ze Daan aan.
O ja, Bert. Daan klaarde weer wat op.
'Het is alleen vervelend dat we niet gewoon meteen kunnen vragen naar die diefstallen,' zei Eva. 'Dat kost zoveel tijd.'
Daan bleef staan. 'Hier is het.'
Ze klopten, maar achter de deur bleef alles stil.

‘Misschien is-ie ook wel doof,’ veronderstelde Eva.
Daan schudde zijn hoofd.
‘Meneer Fabricius niet. Die is nog eh…’
‘Zo fris als een hoentje?’ giechelde Eva.
Daan lachte. ‘Hij is gewoon niet thuis. Durf jij naar opoe Roos?’
‘Maar daar heb je toch niks aan?’ zei Eva.
‘Ja, nou, we moeten toch wát,’ vond Daan. ‘We kunnen moeilijk tot vijf uur op de gang blijven rondhangen.’
Eva knikte. ‘Oké. Laten we het maar proberen. Is ze echt helemaal, uh, of heeft ze ook nog wel eens heldere ogenblikken?’
Daan haalde zijn schouders op. ‘Weet ik niet precies. Als ik haar zie, loopt ze altijd te zingen. Maar soms groet ze me opeens, dan weet ze wie ik ben.’
Ze klopten op een verse deur.
‘Als ze over die avond begint, wat moeten we dan zeggen?’ fluisterde Eva benauwd.
Daan spreidde zijn handen en haalde zijn schouders op. ‘Niks.’
De deur ging op een kiertje open. Opoe Roos stak voorzichtig haar hoofd naar buiten. Met knipperende oogjes keek ze hen aan.
Daan besloot zijn verhaaltje maar weer af te draaien.
‘Ik ben de kleinzoon van meneer Koning,’ zei hij. ‘Mogen wij u een paar vragen stellen? Het is voor school.’
Opoe gaf geen antwoord. Ze wriemelde aan haar rok en staarde met vage ogen over hen heen.
Daan schuifelde onbehaaglijk met zijn voeten.
‘Ik ben Daan Koning,’ begon hij weer.
Opoes blik werd wat helderder. ‘Ja ja,’ zei ze verheugd. ‘Jongen, wat heb ik jou een tijd niet gezien.’
Daan haalde opgelucht adem.
‘Mogen we even binnenkomen?’
‘Nee nee,’ zei opoe beslist. ‘Dat kan niet, hoor. Ik zit in bad.’
Daan beet op zijn lip. Hulpeloos keek hij naar Eva.

'Ik denk dat u al klaar bent met uw bad,' zei Eva vriendelijk. 'Want u hebt uw jurk al aan, ziet u wel?'
Opoe keek omlaag. 'Dan ben ik al klaar,' zei ze opgewekt.
De deur ging een stukje verder open, en Daan deed een stap naar voren.
'Mogen we even binnenkomen?' herhaalde hij.
Opoe keek hem met sluwe oogjes aan.
'En me dan bestelen, hè? Ik heb jullie wel door, hoor!'
'We komen u niet bestelen,' zei Eva vlug. 'We willen u juist helpen om de dief te vinden!'
'Ben jij een kleindochter van me?' informeerde opoe.
'Zoiets,' zei Eva. Ze lachte zonnig. 'We willen u alleen maar helpen,' zei ze weer.
Opoe weifelde. 'Kom dan maar binnen. Maar je moet niet op de rommel letten, want ik heb nog niet gezogen.'
'Nee,' beloofde Eva. 'U hebt het zeker druk gehad?'
'Nou,' zei opoe. 'Met een groot gezin staan je handen nooit stil.'
Ze schuifelden achter haar aan een keurig opgeruimde kamer binnen. Daan bleef onwennig bij de deur staan.
'Doe de deur maar dicht,' wees opoe. 'De kolen zijn duur.'
Daan keek naar Eva. Hopeloos, seinden zijn ogen, maar Eva wierp hem koppig een laat-mij-maar-blik toe.
'Geld,' zei opoe. 'Geld hebben ze ook van me gestolen. En m'n medaillon. En komen jullie dat nou terugbrengen?'
'Nu nog niet,' zei Eva. 'Maar later misschien wel. We willen proberen om de dief te vinden. En als we hem vinden, krijgt u uw geld weer terug. En ook uw medaillon.'
'Fijn,' zei opoe tevreden. Ze ging in haar leunstoel zitten, vouwde haar handen in haar schoot en begon te zingen.
'Waar de blanke top dè-hèr duinen…'
Daans handen balden zich krampachtig tot vuisten. Zijn nekharen prikten. Als je toch zó werd…

Ik zou nog liever dood zijn, dacht hij. Maar misschien wist opoe niet dat ze zo was, bedacht hij toen. En als je het niet wist, dan gaf het niet. Hoe zei opa dat ook altijd weer? Wat niet weet, wat niet deert. Maar zou dat ook gelden voor dit soort dingen?
'Schittert in de zonnegloed,' zong opoe.
Daan gluurde naar Eva. Die zat rustig te wachten tot opoe klaar was met zingen.
Midden in het tweede couplet hield opoe op. Ze prikte haar stok in Daans richting.
'Jou heb ik wel eens eerder gezien. Maar haar ken ik niet. Heeft zij een ongeluk gehad?'
'Een ongeluk?' zei Daan verbijsterd. 'Hoe bedoelt u?'
'Met haar mond,' legde opoe uit. 'Ze heeft allemaal krammen in haar mond.'
'Dat is voor mijn tanden,' zei Eva. 'Dan worden ze mooi recht, begrijpt u wel?'
'Och,' zei opoe medelijdend. 'En doet het zeer, kind?'
'Nee hoor,' zei Eva lief. 'Daar voel je niks van.'
Opoe knikte, maar haar blik zwierf alweer doelloos door de kamer.
Daan en Eva wachtten. Aan de muur tikte een klok vinnig de minuten weg. De wijzers stonden op tien over negen.
Ze vergeet natuurlijk om hem op te winden, dacht Daan. En áls ze hem opwindt, om hem gelijk te zetten. Maar wat gaf het? Voor opoe Roos kwam tijd er niet meer op aan.
'Ze staan voor de ramen,' zei opoe opeens.
Daan veerde geschrokken op. 'W… wat zegt u?'
'Ze staan voor de ramen,' herhaalde opoe. 'Ze denken dat ik het niet zie, maar ik zie het wel!'
Ze keek hen aan. Haar ogen waren onverwacht blauw.
Eva en Daan staarden terug.
Met een hoge, dunne stem vroeg Eva: 'Wie dan?'

Opoe negeerde haar. 'Maar ze durven niet binnen te komen, want dan ga ik schreeuwen.' Ze knikte nadrukkelijk. 'Heel hard.'
'Wat goed van u,' zei Eva iel.
'Het zijn dieven,' verklaarde opoe. 'Het stikt hier van de dieven.'
Ze zweeg. Haar hoofd zakte voorover op haar borst. Sliep ze? Daan durfde niets te zeggen. De klok tikte als een tijdbom. Eva beet op haar haar.
Daan liet een voor een zijn vingers knakken. Bij de vijfde snauwde Eva: 'Laat dat!'
Opoe schrok op. Ze keek hen aan, zich er vaag van bewust dat ze hen al eerder had gezien. Ze stond op, liep doelbewust naar een ouderwets buffet en pakte een trommeltje.
Geen kerkganger, hoopte Daan in stilte.
'Hier,' zei opoe. Ze duwde hun een gevulde koek in de handen. 'En nou moeten jullie weggaan, want ik moet in bad.'
Gedwee lieten ze zich de kamer uitduwen.
Achter hen werd de sleutel in het slot omgedraaid, en opoes beverige stem begeleidde hen toen ze wegliepen:
'Boer wat zeg je van mijn kippen,
boer wat zeg je van mijn haan.
Hebben ze dan geen mooie veren,
of staat jou de kleur niet aan...'

22

Stilletjes liepen ze over de gang.
'Ik schaamde me dood, toen ze over die dieven buiten begon,' zei Eva. ''t Was toch wel stom van ons, hè?'
'Nogal,' zei Daan. 'Jammer dat ze dat nou juist wel onthoudt.'
'Ja.' Eva lachte even. 'Wie nu?'
'Zullen we even naar mijn opa gaan?' vroeg Daan. 'Ik wil nou wel weer eens met een normaal mens praten.'
'Raar, hè,' zei Eva. 'Dat de één wel zo wordt, en de ander niet. Ze is vast niet veel ouder dan jouw opa.'
'Maar misschien weet ze het zelf niet,' zei Daan, die dacht aan zijn filosofie van daarstraks. 'Dat ze zo is, bedoel ik. En dan is het niet zo erg, toch?'
'Wel voor haar kinderen,' zei Eva. 'Ze zei dat ze een groot gezin had. Heeft ze echt veel kinderen?'
Daan knikte. 'Volgens mijn opa wel een stuk of acht. En ook een hele smak kleinkinderen. Maar die herkent ze meestal niet eens. En áls ze ze herkent, kan ze ze niet uit elkaar houden.'
Eva stopte haar kladblok in haar jaszak.
'Mag je opa weten wat we aan het doen zijn?'
'Waarom niet?' zei Daan. 'Wat heb je eigenlijk allemaal opgeschreven, laat eens zien?'
Eva gaf hem het kladblok. 'Eigenlijk is het allemaal flauwekul, hoor, wat er staat. Ik krabbel maar wat. Maar ik moet toch iets opschrijven, anders denken ze dat het nep is.'
Daan bestudeerde haar aantekeningen en lachte. 'Wel veel poppetjes, hè?'

'Zoeken jullie iemand?' zei een stem achter hen.
Verschrikt draaiden ze zich om. Lang en statig stond daar mevrouw Versteeg. Een grijze japon, grijze schoenen, grijze kousen. Haar haren waren strak weggetrokken in een onberispelijk knotje.
'Nnee,' stotterde Daan. 'Nee hoor, we...'
'We doen een soort onderzoek,' zei Eva. 'Een project, voor school. Over bejaardenzorg.'
Ze hield het kladblok omhoog.
'We interviewen de mensen die hier werken, en de mensen die hier wonen, begrijpt u wel?'
'Dat is aardig,' knikte mevrouw Versteeg. Ze strekte haar hand uit. 'Mag ik eens zien?'
Mevrouw Versteeg was het soort vrouw bij wie een vraag klonk als een bevel. Eva keek naar die gebiedende hand, aarzelde, en ging door de knieën. Ze reikte het kladblok over.
Nou zijn we erbij! dacht Daan. Ze ziet natuurlijk meteen dat het onzin is wat daar staat, en dan gaat ze er werk van maken, zo'n type is het wel. Hij likte zenuwachtig langs zijn lippen.
Mevrouw Versteeg bladerde vluchtig het kladblok door en glimlachte. 'Dat kan ik niet lezen, hoor. Maar als jullie er prijs op stellen, wil ik ook wel een paar vragen beantwoorden. Of waren jullie al klaar?'
Daan haalde opgelucht adem. Wat was ze aanminnig!
'Nee hoor,' zei hij. 'We zijn nog maar net begonnen, hè Eva?'
'Nu, kom dan maar even mee,' zei mevrouw Versteeg. 'Ik heb nu wel even tijd voor jullie.'

Achter haar kaarsrechte rug trok Eva een gezicht tegen Daan. Niks aan te doen, grimaste hij terug.
Braaf wandelden ze achter mevrouw Versteeg aan een kamer binnen die eruitzag alsof hij met behulp van passer en liniaal was ingericht.

Vier hoge stoelen stonden stram in het gelid tegen de muur, op de tafel lag een smetteloos witkanten kleed, en op het bed een pijnlijk glad getrokken sprei. Nergens een stofje, nergens een kruimeltje, en nergens planten. De vensterbank was leeg, op een kleine pendule na. De goudkleurige slinger zwaaide ritmisch heen en weer. Aan de witte muren hingen vier met petieterige steekjes geborduurde schilderijen, stillevens in fletse kleuren.
Het lijkt wel een nonnencel, dacht Daan, die pas een film over het kloosterleven op de televisie had gezien.
Mevrouw Versteeg leek zelf ook wel een non, met haar bleke gezicht en die grijze kleren.
Uit zijn ooghoek keek hij naar Eva. Die was ook onder de indruk, want ze kauwde op het touwtje van haar capuchon.
'Ga zitten,' beval mevrouw Versteeg.
Voorzichtig lieten ze zich zakken, keurig naast elkaar op een rechte stoel. Mevrouw Versteeg nam een stoel bij de tafel en vouwde haar witte handen over elkaar. Ze keek hen onderzoekend aan.
'Steek maar van wal.'
Daan kuchte. 'Onze eerste vraag is of de mensen het hier naar hun zin hebben.'
Eva viste haar notitieblok weer op en stak gedachteloos de pen in haar mond.
'Niet in je mond, meisje, dat is ongezond,' zei mevrouw Versteeg afkeurend.
Eva kleurde en veegde de pen droog aan haar broek.
'Of het ons hier bevalt,' zei mevrouw Versteeg. Ze liet een droog lachje horen. 'Zou het iemand interesseren als we zeiden van niet?'
Daan schoof onrustig op zijn stoel heen en weer. Dat was een antwoord waar hij geen raad mee wist.
Eva zat onverstoorbaar te schrijven. 'Dus het bevalt u hier niet?'
'Men moet toch érgens wonen,' zei mevrouw Versteeg. 'En de verzorging, ach, het personeel doet zijn best.'

Daan hoestte weer. 'Maar u had liever nog op uzelf gewoond?'
Mevrouw Versteeg knikte.
Er viel een ongemakkelijke stilte.
Daan keek hulpzoekend naar Eva. Hij wist niet wat hij nog meer zou kunnen vragen. Mevrouw Versteeg was niet bestolen, dus wat moesten ze hier eigenlijk?
'Vindt u het te saai in zo'n huis?' hielp Eva. 'Van opa... van meneer Baas hoorden we dat er wel eens uitstapjes worden georganiseerd. Doet u daar niet aan mee?'
Mevrouw Versteeg schudde krachtig haar hoofd. Daan keek naar het knotje, maar dat zat muurvast.
'Van dergelijk vermaak hou ik niet,' zei ze koel. 'Met zo'n volksmassa in een bus, nee, dank je wel.'
'Maar er zijn toch ook andere dingen,' zei Eva. 'Er zijn toch ook wel clubjes of zo?'
'Clubjes?' Mevrouw Versteegs wenkbrauwen gingen een millimeter omhoog.
'Ja, uh... bloemschikken, offe, gymnastiek,' hakkelde Eva. 'Bejaardengymnastiek?' De wenkbrauwen klommen nog een millimeter.
'Dat is niets voor mij.'
Nee, dacht Daan, dat kan ik me voorstellen. Hij zag mevrouw Versteeg niet enthousiast bezig met één-en-twee-en-spreid-en-sluit-en-hóóg-die-armen. Stel je voor dat haar haar in de war raakte.
'Maar wat doet u dan de hele dag?' vroeg Eva, eerlijk verbaasd.
'Ik borduur,' zei mevrouw Versteeg. Ze knikte naar de schilderijtjes.
'En ik lees veel.'
Haar mond vertrok in iets wat een glimlach zou kunnen zijn.
'Detectives.'
Eva knikte en zweeg.
'Meer hebben we eigenlijk niet te vragen,' zei ze ten slotte. De glimlach werd wat breder.
'Ik zag anders hele verhalen op je kladblok staan.'

'Ja, maar dat komt omdat we...' begon Eva.
Daan trapte haar gevoelig tegen haar enkel.
'Ja?' zei mevrouw Versteeg aanmoedigend.
Eva keek naar Daan. Hij haalde licht zijn schouders op. Wat maakte het ook uit of mevrouw Versteeg van hun plannen wist? Misschien was het zelfs wel nuttig. Ze zag eruit als iemand aan wie niet veel ontging. En ze las nog detectives ook, bedacht hij.
'Dat van dat project,' begon hij, 'dat is eigenlijk niet waar. Dat gebruiken we alleen maar als smoes om hier binnen te komen.'
Mevrouw Versteeg fronste.
'Wat is dan jullie bedoeling?'
Eva nam het over. 'U hebt vast wel gehoord dat er bij verschillende mensen gestolen is? En dat de politie niets kan doen zolang ze geen bewijzen hebben? Dus willen wij proberen om het op te lossen.'
Mevrouw Versteeg staarde haar aan.
'Júllie? Maar jullie zijn nog kinderen!'
'Daarom juist!' zei Eva. 'Niemand zal van een paar kinderen denken dat die hier lopen rond te snuffelen. Dus misschien komen we wel iets aan de weet waarmee we de politie kunnen helpen.'
Mevrouw Versteeg kuchte beschaafd achter haar hand.
Ze lachte, Daan zag het duidelijk. Zat ze hen nou uit te lachen?
'Juist ja. En, hébben jullie al iets ontdekt?'
Daan gaf Eva weer een waarschuwende trap. Ze hoeft nou ook weer niet alles te weten, betekende die. Dat van Bert konden ze beter voor zichzelf houden. Per slot van rekening hadden ze nog geen bewijzen tegen hem.
Eva begreep de boodschap maar half.
'We denken dat we héél misschien iets hebben ontdekt,' zei ze. 'En...'
'Maar we hebben nog geen bewijs,' zei Daan vlug.
'Zo,' glimlachte mevrouw Versteeg. Ze verschikte iets aan haar

onberispelijke knotje. 'Nu, dat zal jullie ook niet gemakkelijk vallen, denk ik.'
Ze stond op.
'Zullen we het hier dan maar bij laten? Ik moet nog een paar brieven schrijven, en mijn zoon komt me zo meteen een bezoek brengen, dus...'
Ze liep met hen mee naar de deur.
'Dank u wel voor de moeite,' zeiden ze beleefd.
'Geen dank,' zei mevrouw Versteeg vriendelijk. 'Ik hoop dat ik jullie van dienst heb kunnen zijn.'
In de deuropening draaide Daan zich nog eens om. Ze zat hen dan wel stiekem uit te lachen, maar je kon toch nooit weten.
'Misschien, als u iets ziet of hoort,' zei hij aarzelend. 'Zou u het ons dan willen vertellen? Of aan mijn opa, die vertelt het dan wel weer aan ons.'
'Zeker.' Mevrouw Versteeg glimlachte weer. 'Ik zal heel goed voor jullie uitkijken.'
Voor de derde maal die middag werd er een deur achter hen gesloten.

23

'Hoe laat is het?' vroeg Eva. 'Ik heb honger. En ik heb ook geen zin meer.'
'Kwart voor vijf,' zei Daan. 'Zullen we naar de hal gaan, en daar wachten tot Bert weggaat?'
'Best,' zei Eva. 'Heb jij iets te eten bij je?'
Daan groef in zijn zakken en diepte een kleverig dropje op. 'Meer heb ik niet.'
'Geeft niet.' Eva stak het dropje in haar mond.
'We moeten ons wel een beetje verstoppen. Dat we daar niet zo opvallend staan te wachten.'
Daan knikte.
In de hal keken ze rond.
'Daar,' wees Eva. 'Die grote plantenbak, daar passen we net met z'n tweeën achter.'
Onder dekking van een enorme gatenplant gluurden ze de gang in. Eva kauwde op haar dropje.
'Wat is dat taai, zeg,' fluisterde ze.
'Het zat ook al weken in m'n zak,' grinnikte Daan. 'Volgens mij is het al eens meegewassen.'
'Jasses.' Eva slikte het haastig door.
'Ssst,' siste Daan. 'Daar komt iemand.'
Eva stak voorzichtig haar hoofd om de hoek. 'Het is Mia, hoor maar.'
Ze doken nog verder in elkaar. Op haar houten muilen klepperde Mia luidruchtig voorbij. Daarna werd het weer stil.
Ze wachtten.

Vijf minuten. Tien minuten. Een kwartier.
'Ik krijg kramp,' klaagde Eva. 'Waar blijft-ie nou?'
'Duiken!' zei Daan. 'Daar komt-ie!'
Bert kloste langs op zijn zware laarzen. Onder het lopen stak hij een sjekkie op. Een bos sleutels bengelde in zijn hand. De glazen deur viel achter hem dicht, en voorzichtig richtten ze zich op.
'Hij loopt naar de auto!' fluisterde Eva.
'Ja, wat dacht jij dan?' zei Daan nuchter.
Gespannen keken ze toe hoe Bert het portier openmaakte, instapte en startte. De auto gleed weg van de stoeprand.
'Hij rijdt gewoon weg!' zei Eva teleurgesteld.
'Natuurlijk,' zei Daan. 'Hij heeft het niet gezien. Maar hij merkt het zo wel, let maar op.'
Ze liepen naar de deur om de wegrijdende auto beter te kunnen zien.
'Kijk!' zei Daan triomfantelijk. 'Hij heeft het al in de gaten!'
De auto zwenkte naar rechts en stopte weer langs de stoep. Ze zagen Bert uitstappen en gebukt om de auto heen lopen. Bij het linkerachterwiel bleef hij staan.
Zelfs op deze afstand konden ze zien dat hij vloekte. Daan lachte hardop, en Eva gaf hem van louter plezier een peut in zijn ribben.
'Goed hè? Wat zou hij nou gaan doen?'
'Lopen,' grijnsde Daan. 'Wat anders?'
Zich verkneuterend zagen ze hoe Bert weer om de auto heen liep naar de bestuurdersplaats, en zich naar binnen boog.
'Wat doet-ie nou?' vroeg Eva ongerust.
'Z'n sleutels pakken,' zei Daan. 'Hij moet 'm toch afsluiten?'
'O ja.' Eva kauwde weer op haar touwtje.
Bert sloeg het portier dicht en liep opnieuw naar de achterkant. Hij maakte de kofferbak open.
Daan verstijfde. 'O, nee!!' kreunde hij. 'O, heilige... Ooo, wat een oenen zijn wij!!'
'Wat is er?' riep Eva. 'Wat héb je, wat doet-ie nou?'

Daan sloeg keihard tegen zijn voorhoofd.
'Snáp je dat dan niet? Hij pakt het reservewiel. O, shít!'
'Reservewiel?' Eva keek hem verwezen aan. 'Reservewiel! O, Daan, wat een ezels zijn wij!'
'Dat zei ik toch al,' zei Daan somber.

Het kostte Bert precies tien minuten om het wiel te verwisselen. Verslagen wachtten ze tot hij klaar was.
Bert veegde zijn handen af aan zijn broek, gaf een schopje tegen zijn nieuwe achterband, en stapte weer in.
Eva sleurde Daan mee naar de uitgang.
'Kom op,' zei ze grimmig. 'Erachteraan! Zó gemakkelijk komt-ie niet van ons af!'
Ze holden naar hun fietsen.
'Maar jij zei dat we hem tóch niet bijhielden,' hijgde Daan.
Eva prutste gejaagd aan het slot van haar fiets.
'We kunnen het altijd proberen. Schiet nou op!'
Daan graaide zenuwachtig naar zijn sleutels, liet ze vallen, griste ze weer van de grond en ramde het sleuteltje in het slot.
Eva fietste al. 'Waar blijf je nou!'
'Ik kom!' Daan trapte als een bezetene om haar in te halen. Honderd meter voor hen reed de zwarte auto. De achterlichten floepten aan, want het begon al te schemeren.
'Goed zo,' zei Eva. 'Dan kunnen we 'm beter zien.'
Staand op hun trappers sjeesden ze door de stad. Regelmatig kropen er andere auto's tussen hen en Bert, maar de afstand werd niet groter.
'We redden het!' hijgde Daan. 'Het is spitsuur, dus hij komt niet zo snel vooruit.'
'Nee, maar daar is een stoplicht,' wees Eva. 'Als 't op groen springt vóór wij er zijn, dan zijn we 'm kwijt!'
'Daar gaat-ie al,' riep Daan. 'De stoep op, vooruit!'

Ze bonkten de stoep op en scheurden tussen de voetgangers door.
'Zeg hé!' riep een man verontwaardigd. 'Zijn jullie nou helemaal besodemieterd!'
'Sorry, meneer!' gilde Eva.
Bij de stoplichten schoten ze de straat weer op, rakelings voor een paar auto's langs. Achter hen werd driftig getoeterd. Eva keek om.
'Vóór je kijken!' schreeuwde Daan. 'Harder!'
In de verte draaide de zwarte auto rechtsaf en verdween uit het gezicht.
Ze gooiden er nog een schepje op. Daans longen deden pijn, en zijn adem kwam in horten en stoten. Dit moest niet lang meer duren.
Ze zeilden de bocht om.
'Daar staat-ie!' gilde Eva.
De auto stond voor een herenhuis geparkeerd, en Bert verdween net in de portiek.
Ze sprongen van hun fiets en liepen naar het huis. Nummer 13, noteerde Daan in gedachten.
'Ik kan niet meer!' steunde Eva. Ze hing voorover over haar zadel, haar haren plakten vochtig op haar voorhoofd. 'Hoe heet het hier?'
Daan keek om zich heen. 'Willem de Zwijgerlaan, geloof ik. Ja, daar op de hoek zit die grote sportzaak. Hou jij m'n fiets eens vast?'
'Waarvoor?' zei Eva, maar Daan duwde haar zonder plichtplegingen zijn fiets in de handen en liep achteruit, naar de rand van het trottoir. Hij legde zijn hoofd in zijn nek en tuurde naar boven.
Op de bovenste verdieping ging het licht aan, en de gordijnen werden dichtgeschoven.
Daan liep terug naar Eva.
'Hij woont helemaal boven,' rapporteerde hij. 'Dit zijn van die huizen die in etages worden verhuurd, omdat ze zo groot zijn. Even kijken hoe hij van zijn achternaam heet.'
Eva smeet de fietsen tegen de pui. 'Wacht even.'

Ze bestudeerden de naambordjes:

J. PEETERS

MEVR. DE WED. BAARS

H.G. VAN DER STAPPEN

A. BLOM

'Hij heet Blom,' zei Daan.
'Ja, maar daar staat A. Blom,' zei Eva. 'Hij heet toch Bert?'
'Hij zal wel Albert heten,' bedacht Daan.
'O ja.' Eva kneep hem in zijn arm. 'Voor iemand die niet aan reservewielen denkt, ben je toch slimmer dan ik dacht. Wat betekent mevr. de wed.?'
'Mevrouw de weduwe,' zei Daan. 'Dat zal wel een ouwe dame zijn, die noemen zich nog wel eens zo.'
Eva keek nog eens omhoog. 'Zullen we aanbellen?'
'Ben je gek?' schrok Daan. 'Wat moeten we zeggen?'
'Weet niet,' schokschouderde Eva. 'Maar ik wil zo graag eens binnen kijken. Daar liggen vast alle spullen die hij gestolen heeft.'
Ze liep naar de auto en tuurde naar binnen.
'De jassen liggen er niet meer.'
'Nee,' zei Daan. 'Die had hij over zijn arm toen hij naar binnen ging. Had je dat niet gezien?'
Eva schudde haar hoofd. 'Dan moet het daar vól liggen, joh! Kunnen we niet een smoes bedenken?'
'Daar is het nou te laat voor,' zei Daan. ''t Is al halfzes. Maar morgen is het donderdag, dan werkt hij niet. Zullen we dan aanbellen? Vóór die tijd verzinnen we wel wat.'
'Kan niet,' zei Eva. Ze pakte haar fiets. 'Ik moet morgen naar de tandarts. M'n beugel moet bijgesteld.'
'O.' Daan slingerde een been over het zadel. 'Moet je die beugel nog lang?'

'Ik hoop het niet,' zei Eva. 'Ik heb hem al bijna een jaar. Elke keer zegt-ie dat het mooi opschiet, maar verder gebeurt er niks. Zullen we vrijdag dan naar Bert?'
'Vrijdag kan ík niet,' zei Daan. 'Dan moet ik boodschappen doen voor het weekend, en het is koopavond, dus dan moet m'n moeder 's avonds werken. 'Dan kook ik altijd, want dan komt ze alleen maar even thuis om te eten. Maar zaterdag kan ik wel.'
'Zaterdag,' zuchtte Eva. 'Dat duurt nog zo lang! Net nou het zo spannend wordt. Wedden dat de bewijzen voor het oprapen liggen?' overdreef ze.
'Nou,' zei Daan zuinig. 'We weten nog steeds niks zéker.'
Eva rinkelde baldadig met haar fietsbel.
'Doe toch niet altijd zo oenig, joh! Jij denkt toch óók dat hij het gedaan heeft?'
'Nogal wiedes,' zei Daan. 'Anders had ik die band niet lek geprikt, en me een breuk gefietst. Ik denk dat we verder ook geen mensen meer hoeven te interviewen. Volgens mij weet niemand iets waar we wat aan hebben. Mevrouw De Vries en meneer Fabricius waren niet eens in hun kamer toen ze bestolen werden. Maar je moet wél eerst bewijzen hebben, je kunt niet zomaar iemand gaan beschuldigen.'
'En toch durf ik te wedden dat ik gelijk heb,' zei Eva, en daarmee had ze zoals gewoonlijk het laatste woord.

24

Het was druk in de Willem de Zwijgerlaan op zaterdagmiddag. Op hun gemak liepen Daan en Eva tussen de winkelende mensen door, in de richting van nummer 13.

'Bellen we meteen aan?' vroeg Daan. 'Of kijken we eerst nog even vanaf de overkant of hij thuis is?'

'Aanbellen natuurlijk,' zei Eva. 'Jij altijd met je getreuzel. Je kunt trouwens van hieraf niet eens zien of hij thuis is, er brandt nou toch geen licht? En weet je wat ik bedacht heb?' voegde ze er in één adem aan toe.

'Nou?' Daan ritste zijn jack los. Het was warm in de zon.

'Dat er zo wéinig gestolen is,' zei Eva. 'Wel bij veel mensen, maar niks waardevols, bedoel ik.'

'Nou,' zei Daan. 'Vijftig euro, en een ring, en...'

'Ja,' zei Eva ongeduldig. 'Dat weet ik wel, maar herinner jij je niet meer dat je opa zei dat er bij meneer Fabricius een antieke klok stond, die veel meer waard was dan dat zilveren fotolijstje?'

'Ja!' zei Daan verrast. 'Dat is zo, maar wat bedoel je daarmee, betekent dat iets?'

'Weet ik niet,' zei Eva. 'Ik vind het alleen maar raar. Gisteravond in bed heb ik erover liggen piekeren, en ik kwam er niet uit. En vandaag dacht ik er wéér aan, maar ik snap het nog steeds niet.'

Tegenover nummer 13 bleven ze staan, en ze telde op haar vingers. 'Eén: geld en een medaillon van opoe Roos. Twéé: de portefeuille van opa Baas. Drie: een zilveren fotolijstje van meneer Fabricius. Vier: geld en een ring van mevrouw De Vries. Dat geld was maar weinig, maar die ring was nog van haar moeder geweest, klopt dat?'

'Jep,' zei Daan. 'Maar wat wou je daar nou mee?'
'Niks!' snibde Eva. 'Ik vind het alleen maar gek, dat zei ik toch al. Als jij nou iemand zou beroven, dan nam je toch alles mee wat je kon vinden?'
Daan lachte. 'Ja, als je het zó bekijkt.'
'Zo bekijk ik het,' zei Eva. 'En zo bekijkt een dief het ook. Dat is het 'm nou juist.'
'Nou ja.' Het onderwerp begon Daan te vervelen.
'Misschien komen we daar nog wel achter als we eenmaal zeker weten wie het is. Zullen we dan maar?'
Ze begonnen de straat over te steken, maar halverwege pakte Eva Daans arm en kneep er gevoelig in.
'Daar komt-ie net aan!'
'Waar?' Daan keek zoekend rond naar de zwarte auto.
'Daar, uil!' wees Eva. 'Hij loopt met een krat te slepen! Wat doen we nou?'
Daan keek naar Bert, die ras naderbij kwam, licht wankelend onder het gewicht van een vol krat bier.
'Gewoon, precies wat we van plan waren. Jij vraagt of hij je fietssleuteltje misschien gevonden heeft, want je denkt dat je het in Zonnegloren verloren hebt.'

Maar het was niet eens nodig. Toen Bert hen in het oog kreeg, begon hij breed te grijnzen.
'Hoei, hoe gaat 't met het project?'
Ze posteerden zich breeduit voor hem, bang dat hij door zou lopen.
'Best, we schieten al op,' zei Daan. Hij knikte naar het krat. 'Moeten we even helpen sjouwen?'
'Bejjegek,' zei Bert. 'Dat kan ik alleen nog wel. Maar loop effe mee, dan krijgen jullie wat te drinken van me.'
'Graag!' zeiden ze verheugd. Eindelijk zat het eens mee!

Bert liep de portiek in en smakte het kratje op de grond.
'Hier is het. Even m'n sleutels pakken.'
Ze klommen achter hem aan een hele rits trappen op. Helemaal boven maakte hij een deur open.
'Ga maar naar binnen, de kamer is rechtdoor,' zei hij. 'Ik zet dit even op het balkon, dan blijft het koel.'
Ze schoven een grote kamer binnen, met ouderwets-hoge ramen voor en achter. Er stond een beige driezitsbank, een losse stoel, een lage blankhouten tafel, een boekenkast met weinig boeken, maar wel met een complete stereo-installatie, en een ronde eettafel met vier stoelen. Geen bed, ze zagen het allebei. Maar wel een tweede deur. Dus er was ook nog een slaapkamer!
Met glanzende ogen keken ze elkaar aan.
Bert kwam binnen met twee glazen in zijn handen.
'Ik heb maar een colaatje voor jullie ingeschonken, dat is zeker wel goed?'
'Lekker,' zei Daan. 'Lollige kamer is dit, en is er ook nog een balkon?'
'Aan de achterkant,' zei Bert. 'Zo'n zwaluwnestje, je kent dat wel. Maar beter dan niks. En de pils blijft er koud.'
Hij lachte. 'Dat was al het derde krat waarmee ik liep te sjouwen. Ik heb voor vanavond een feestje voor een vriend georganiseerd. Die komt thuis van vakantie. 't Is een verrassing voor 'm. Hij is jarig geweest, dus zodoende.'
'Drie kratten bier?' Daan zette grote ogen op. 'Komen er zoveel mensen?'
'Man of tien,' schatte Bert. Hij rolde zijn onafscheidelijke sjekkie. ''t Kunnen d'r ook méér wezen, dat weten we nooit van tevoren. Hé, willen jullie wat zien?'
Hij stroopte een mouw op en toonde zijn bovenarm, waarop een blauwe slang kronkelde, met een flitsend rode tong.
'Is dat een tatoeage?' vroeg Daan.

'Yessir.' Bert liet zijn spierbal rollen. 'Net van de week laten maken. Hoe vind je 'm?'
Eva griezelde. 'Ik vind het maar eng. Wat zijn dat voor korstjes?'
'Dat komt omdat-ie nog nieuw is,' legde Bert uit. 'Die gaan vanzelf weg. 't Moet effe helen, hè.'
'Waar heb je die laten maken?' vroeg Daan nieuwsgierig.
'Weet je de Halvemaansteeg?' zei Bert. 'Daar zit een knakker die het in Hongkong heeft geleerd. En hij kan het goed hoor, je kan hele tijgers op je rug laten zetten, als je d'r zin in hebt.'
'Doet het zeer?' wilde Daan weten.
'Njet,' zei Bert stoer. 'Beetje gevoelig, maar dat moet je ervoor over hebben.'
'En als je er nou genoeg van hebt, wat dan?' vroeg Daan.
'Dan heb je pech,' grijnsde Bert. 'Want 't kan d'r nooit meer af.'
Eva dronk met bedachtzame slokjes haar cola.
'Hoe gaat het met het klussen?'
Bert verdween achter een grote rookwolk. 'Ik mag niet klagen. Het loopt wel lekker allemaal. Het hangt er een beetje vanaf, hè?'
Ze begrepen absoluut niet waar het vanaf moest hangen, maar ze knikten instemmend.
Daan keek zo onopvallend mogelijk de kamer nog eens rond. Nergens een spoor van suède jassen, laat staan van een fotolijstje. Hij spande zijn hersens in. Als er ergens iets te ontdekken viel, dan was het in de slaapkamer. Dus één van hen tweeën moest daar binnen zien te komen, maar hoe?
Hij loerde vanachter zijn glas naar Eva. Hij kon bijna voelen dat ze aan hetzelfde dacht. En ze was sneller dan hij.
'Mag ik even naar de wc?' vroeg ze. 'Ik moet zo nodig.'
'Tuurlijk.' Bert wuifde nonchalant naar de deur. 'In de gang, eerste deur rechts.'
Eva stond op. Ze speelde het wel heel echt, zag Daan. Ze liep met naar binnen geknikte knieën op een drafje naar de deur. Daar

draaide ze zich om en bewoog haar lippen. Daan knipperde onzeker achter zijn bril. Wat bedoelde ze nou? Vragend trok hij zijn wenkbrauwen op. Eva bewoog haar lippen opnieuw.
G-E-L-U-I-D, spelde Daan. Natuurlijk!
Ze kon moeilijk in die slaapkamer gaan rondsnuffelen, terwijl het hier doodstil was.
Geluid, geluid... Verwilderd keek hij om zich heen. Zijn blik viel op de stereo-installatie.
'Heb je goeie platen?' brabbelde hij.
'Pláten?' Bert trok zijn wenkbrauwen op. 'Platen zijn out, man, da's het stenen tijdperk. Zal ik een cd'tje opzetten?'
'Tof!' zei Daan in hetzelfde jargon.
Bert wipte geroutineerd een cd uit het doosje en legde hem op de CD-speler. Hij drukte een paar knoppen in.
'Nou zul je eens wat horen!' zei hij trots. 'Geluidje, man, om te zoenen!'
Een oorverdovend kabaal barstte los. Het klonk alsof de drummer en de gitarist probeerden wie het hardst kon spelen. Boven alles uit brulde een zanger onverstaanbare klanken. De asbak op de tafel rammelde, en Daan leunde ontspannen achteruit in zijn stoel. Al versleepte Eva het complete bed, dan zou je het nog niet horen, dacht hij vergenoegd.
Koning en Van Tuil, topdetectives!
Achteloos tikte hij mee op de maat van de muziek.
'Wat vind je ervan?' schreeuwde Bert. Hij stond heupwiegend midden in de kamer.
Daan stak zijn duim op en sloot nadrukkelijk zijn ogen. Niet storen, ik geniet, betekende dat.
De ene kakofonie vloeide naadloos over in de andere, en net toen Daan dacht dat hij gek werd, kwam Eva binnen.
'Wat zijn jullie aan het doen?' gilde ze.
'Garagerock!' schreeuwde Bert. 'Daar houdt Daan van.'

Daan keek naar Eva, maar van haar gezicht was niets af te lezen.
'Leuke muziek!' riep ze. 'Maar we moeten weg, we waren eigenlijk een boodschap aan het doen!'
Bert draaide de volumeknop een fractie terug.
'Tot kijk dan, jullie komen er wel uit, hè?'
Ze knikten en staken een hand op.
'Bedankt voor de cola!'

Op de derde trap hield Daan het niet langer uit. 'Heb je wat gevonden?'
Eva glimlachte geheimzinnig. 'Wat denk je?'
'Zeg op,' eiste Daan. Hij greep haar pols. 'Anders doe ik prikkeldraad!'
Eva rukte zich los en spreidde haar armen. 'Zó'n rij jassen. Aan een hanger, of hoe heet dat, zo'n metalen ding waar ze in de winkel aan hangen, op wielen. Leer en suède. Ze hingen er voor het uitzoeken, joh! Wel een stuk of tien!'
'En verder?' vroeg Daan.
'Verder? Verder niks,' zei Eva. 'Is het niet genoeg, soms?'
'Ja, nee, nou, maar geen ring, geen portefeuilles?' vroeg Daan ongeduldig.
'Nee,' zei Eva kribbig. 'En ook geen fotolijstje. Ik kon toch zeker geen úren wegblijven? Stel je voor dat-ie binnengekomen was. Ik heb die jassen gezien, en onder het bed gekeken, en twee laden opengerukt van zo'n nachtkastje. Maar daar lagen alleen onderbroeken in, en sokken. Mooie onderbroeken, trouwens.' Ze giechelde. 'Van die moderne, je weet wel, met bloemen en palmbomen erop.'
Daan was niet geïnteresseerd in bepalmboomde onderbroeken.
'Stond er geen grote kast? Voor kleren?'
'Jawel,' zei Eva. 'Maar die zat op slot.'
'Op slot?' zei Daan verbaasd. 'Wie doet z'n klerenkast nou op slot?'

‘Weet ik dat,’ zei Eva kattig. ‘Hij zat gewoon op slot. En de sleutel kon ik nergens vinden. Daar heb ik heus wel naar gekeken, hoor! Je moet niet zo zeuren, ik heb m’n best toch gedaan? Dan had je zelf maar naar de wc moeten gaan. Maar jíj kwam niet eens op het idee!’
Ze dreunde kwaad de buitendeur dicht. Knipperend tegen de zon stonden ze op de stoep. Daan legde verzoenend zijn hand op haar arm. ‘Zo bedoelde ik het niet. Maar het was te gek geweest als je iets gevonden had. Dan had je het mee kunnen nemen, en dan was de zaak rond geweest,’ zei hij vakkundig.
‘Ik vind dit anders genoeg bewijs,’ zei Eva, nog steeds een beetje gepikeerd. ‘Geen hond heeft tien verschillende jassen.’
Daan knikte. ‘Oké. En wat nu?’
‘Nu gaan we ijs eten,’ zei Eva. Haar boze bui was alweer over. Ze groef in haar zak. ‘Ik heb gisteren m’n zakgeld gekregen, en dat gaan we nou eh…’
‘Verpatsen,’ grinnikte Daan.
‘Precies,’ zei Eva. ‘Daar is een ijssalon. We nemen de grootste sorbet die ze hebben. Mét slagroom.’

25

De volgende morgen rinkelde de telefoon al om halftien. Daan liep nog in pyjama.
'Daan Koning.'
'Met Eva,' zei Eva.
'Jemig, wat ben je vroeg,' geeuwde Daan. 'Het is zondag, hoor, ben je uit je bed gevallen?'
'Nee,' zei Eva knorrig. 'Met het verkeerde been eruit gestapt, nou goed? Kunnen we wat later naar je opa? Ik moet op koffievisite.'
'Toch niet bij Madeleine van Swinderen Doeselaer?' grinnikte Daan.
'Dezelfde,' zei Eva somber. Ze liet haar stem dalen. 'Ik heb al een vlek op m'n jurk gemaakt, dan hoef ik die tenminste niet aan.'
'Hoe laat kom je dan?' vroeg Daan.
'Tegen enen,' fluisterde Eva. 'Ik heb gezegd dat ik nog huiswerk had. Daar komt m'n moeder, ik moet ophangen. Tot straks!'

Daans moeder kwam de kamer binnen. De ceintuur van haar ochtendjas sleepte als een staart achter haar aan. Ze krabde slaperig tussen haar krullen. 'Hoorde ik de telefoon?'
'Eva,' zei Daan.
Zijn moeder gaapte. 'Wat moest die zo vroeg?'
'O, niks,' zei Daan nonchalant. 'Of ze straks langs mocht komen. Of moet jij studeren?' vroeg hij schijnheilig. 'Dan gaan we wel even naar opa.'
'Natuurlijk moet ik studeren,' zuchtte zijn moeder. 'Ik studeer vierentwintig uur per dag. Zo voelt het tenminste.'

'Nog drie dagen,' troostte Daan. 'Dan ben je eraf.'
'Als ik slaag,' zei zijn moeder pessimistisch.
'Tuurlijk slaag je,' zei Daan overtuigd. 'Je had nota bene een zeven voor je mondeling, en vorig jaar had je een vijf!'
'Dat zegt niks.' Zijn moeder sjorde aan haar ceintuur. 'En die zeven heb ik trouwens voor een groot deel aan Eva te danken, weet je dat?'
'Echt?' vroeg Daan verheugd.
'Echt.' Zijn moeder knikte nadrukkelijk. 'Ik heb zo goed kunnen oefenen met haar. lk dróóm nou zelfs in het Engels!'
Daan lachte. 'Mag ik eerst onder de douche?'
'Nee, ik!' Zijn moeder rende naar de deur. 'Zet jij maar vast thee!' riep ze vanuit de gang. 'En ik wil ook wel een eitje.'

'Kijk eens wie we daar hebben!' zei opa. 'Komen jullie de ouwe man weer eens opzoeken?'
Hij zette zijn pet wat schuiner en keek olijk vanonder de klep. 'Of komen jullie me interviewen?'
'Had u het al gehoord?' vroegen Eva en Daan verbaasd.
Opa gniffelde.
'Nieuwtjes doen hier nog sneller de ronde dan aan boord van een schip. Lukt het een beetje met het project?'
'Daar komen we juist voor,' verklaarde Daan. 'Dat project is flauwekul. We hébben er wel een, maar dat gaat heel ergens anders over.'
'O?' Opa fronste zijn wenkbrauwen. 'Wat lopen jullie hier dan rond te struinen?' De frons werd dieper. 'Jullie zijn toch niet nog steeds bezig met die diefstallen?'
Ze knikten.
'Jawel,' zei Daan. 'En het gaat heel goed. Tenminste, dat denken we. Maar nou hebben we jouw hulp nodig, opa.'
Opa ging erbij zitten. 'Spuit maar op. Jullie hebben toch geen gekke dingen uitgehaald?'

Ze schudden eensgezind van nee.
'We hebben het juist heel slim aangepakt,' zei Eva. 'We hebben dat van dat project bedacht, omdat we dan iedereen vragen konden stellen zonder dat het opviel. We dachten dat iemand misschien wel iets gezien had of zo. Maar achteraf hadden we dat hele project eigenlijk niet nodig, hè Daan?'
'Nee,' zei Daan. 'Want we weten al wie het gedaan heeft.'
Opa ging wat rechter zitten.
'Daar zeg je nogal wat. En wie is dat dan, volgens jullie?'
'Bert!!' zeiden ze triomfantelijk.
'BERT?!' Opa schudde ongelovig zijn hoofd. 'Ach kom. Hoe weten jullie dat?'
'Nou,' begon Daan. 'Toen jouw televisie stuk was, weet je nog wel? Toen heeft Bert 'm gemaakt, en toen begon jij over meneer Fabricius, en toen wou Bert opeens geen koffie meer. En dat vonden wij verdacht, hè Eva?'
'IK vond het verdacht,' zei Eva. 'Jij had het niet eens dóór.'
Daan besloot dat te negeren. 'Dus dat vonden we gek, en toen we naar huis gingen, zagen we hem in een spiksplinternieuwe auto stappen, en dat vonden we nóg gekker, en toen...'

Hij vertelde het hele verhaal van a tot z, en opa luisterde zonder hem in de rede te vallen. Alleen bij de episode van de band keek hij bedenkelijk, maar hij zei niets.
Toen Daan uitgesproken was, bleef het een tijdje stil.
'Tjonge,' zei opa ten slotte. 'Ja, ik moet zeggen, het lijkt er akelig veel op, maar toch...' Hij krabde nadenkend onder zijn pet. 'En wie hebben jullie nou allemaal geïnterviewd?'
'De kok, opa Baas, opoe Roos en mevrouw Versteeg,' somde Eva op.
'En niemand had iets vreemds opgemerkt?' vroeg opa.
Daan schudde zijn hoofd. 'Heb jij trouwens nog wat gehoord van

mevrouw Versteeg? Ze zei dat ze voor ons zou uitkijken, en als ze wat zag, zou ze jou wel waarschuwen.'
Opa sloeg met zijn vuist op tafel. 'Mevrouw Versteeg! Da's waar ook. Die is óók bestolen!'
'Wanneer?' vroeg Eva.
'Wanneer,' peinsde opa. 'La's kijken. Vandaag hebben we zondag. Dat moet vrijdag geweest zijn. Ja, het wás vrijdag, want ik zat hier een kaartje te leggen met mevrouw De Vries, dat doen we meestal op vrijdag, en toen kwam ze opeens binnenstieren. Ze was helemaal over de rooie. M'n armband! riep ze alsmaar. M'n armband is weg!'
'Alweer zoiets geks,' zei Eva.
'Hoezo, gek?' vroeg opa. ''t Was een gouden armband, ik heb 'm wel eens gezien. Er zaten allemaal van die steentjes op. Een duur dingetje.'
'Ja maar,' zei Eva. 'Er verdwijnt zo wéinig, dat heb ik ook al tegen Daan gezegd. Dat vind ik raar. Als je gaat lopen stelen, dan steel je toch alles wat je dragen kunt?'
'Niet op klaarlichte dag,' zei opa droog. 'En dit wás op klaarlichte dag. Dan steel je alleen dingen die gemakkelijk in een jaszak kunnen.'
'Ja...' Eva twijfelde nog. 'Dat zal het dan wel zijn.'
'En jullie hadden haar ook geïnterviewd, zei je?' vroeg opa.
Daan knikte. 'Dat wilden we helemaal niet, omdat zij toen nog niet bestolen was, maar ze stond opeens achter ons in de gang, en ze wilde weten wat we uitvoerden. Dus toen moesten we wel. Ze was trouwens heel aardig, behalve op het eind. Toen lachte ze ons uit.'
'Lachte ze ons uit?' zei Eva verbaasd. 'Daar heb ik niks van gemerkt. Waarom dan?'
Daan haalde zijn schouders op. 'Weet ik niet. Maar we moesten weg omdat haar zoon kwam, en vlak daarvoor lachte ze zo raar.

En daarna ook. Volgens mij vond ze het bespottelijk dat een paar kinderen voor detective speelden.'
'Haar zoon?' zei opa. 'Heeft mevrouw Versteeg een zoon? Dat heb ik nooit geweten. Er komt daar nooit een hond. Ik dacht dat ze geen familie meer had.'
'Nou ja, dat zei ze,' zei Daan ongeduldig. Wat kon hem die zoon van mevrouw Versteeg schelen. 'Maar wil je ons nou helpen, opa?'
'Dat hangt ervan af wat jullie van plan zijn,' zei opa voorzichtig. 'Hoewel ik moet zeggen dat jullie het tot nu toe handig hebben ingekleed. Ik kan me alleen nog steeds niet voorstellen dat Bert... Ik vond het altijd een geschikte knaap. Hij ziet er wel een beetje raar uit, met dat haar, heet dat niet punk? Maar och, dat is de moderne tijd, daar groeit-ie wel overheen, dacht ik.'
Hij stond op.
'Ik ga een bak koffie zetten, die heb ik wel nodig. Leg me intussen maar uit wat de bedoeling is.'
'Nou,' begon Daan weer.
'Mag ík nou eens?' zei Eva. 'Jij bent steeds aan het woord, en dit heb ik óók meebedacht.'
'Hm.' Daan knikte onwillig.
'We gaan hem in de val laten lopen,' zei Eva. 'Woensdagmiddag. Hier in uw kamer. Maar vóór die tijd moet u overal rondvertellen dat u met Daan een middag uitgaat, omdat u iets te vieren hebt. Een prijs in de staatsloterij of zo. En u moet erbij vertellen dat u pas 's avonds weer thuiskomt. En u moet er vooríl voor zorgen dat Bert het ook hoort, natuurlijk.'
Opa rammelde met de koffiepot.
'En dan denkt Bert dus dat de kust vrij is. En dan?'
'Dan gaat u weg met Daan,' zei Eva. 'Die komt u ophalen. Ik blijf buiten wachten, voor als Bert een poging doet om te ontsnappen.'
Ze keek schuin naar Daan en stak haar tong uit.
Daar hadden ze nog ruzie om gehad, om dat buiten blijven. Eva

had ook mee naar binnen gewild, maar Daan had gezegd dat het wel eens vechten kon worden, en dat ze daar geen meisjes bij konden gebruiken, opa en hij.
Eva was het daar volstrekt niet mee eens geweest. Ze had zelfs gedreigd om helemáál niet meer mee te doen. Pas na veel wellesnietes, en nadat Daan had gezegd dat ze buiten ook iemand nodig hadden, had ze toegegeven. Maar wel schoorvoetend.
Daan grijnsde breed, en Eva ging verder: 'Dus u gaat weg, maar u doet uw kamer natuurlijk niet op slot, want Bert heeft geen sleutels van de kamers.'
'Hoe weet je dat?' vroeg opa.
'Dat hebben we 'm gevraagd,' zei Eva trots. 'We hebben overal aan gedacht.'
'En ga jij dan in mijn kamer op wacht zitten?' vroeg opa, die er nog niks van begreep.
'Nee,' zei Eva geduldig. 'Ik blijf buiten. Maar jullie gaan ook niet écht weg. Jullie lopen om het huis heen, en klimmen door het raam weer naar binnen.'
Opa kwam binnen met een beker koffie die rook alsof je er de straat mee kon asfalteren.
'En dan?'
'Dan wachten we af,' zei Eva. 'Tot er iets gebeurt.'
'ALS er iets gebeurt,' verbeterde opa.
'Natuurlijk gebeurt er wat!' riep Eva. 'Als u nou maar zorgt dat Bert goed in z'n oren knoopt dat u woensdagmiddag niet thuis bent. O ja, en u moet uw portemonnee ergens goed zichtbaar neerleggen. Er hoeft niks in te zitten hoor. Maar dat-ie hem meteen ziet als hij binnenkomt.'
Opa dronk een slokje teer.
'Hij ziet ons toch óók meteen als-ie binnenkomt?'
'Nee,' zei Daan, die vond dat hij nou eindelijk ook zijn mond wel weer eens open mocht doen. 'Want wij zitten in het keukentje, met

de deur dicht. En we houden ons muisstil. We komen pas te voorschijn als we wat horen. Want dan betrappen we hem op heterdaad, zo heet dat toch?'
'En dan springen jullie hem op z'n nek,' zei Eva afrondend. 'Hebbes!'
Ze keken opa afwachtend aan.
'Wat vindt u ervan?'
Opa zweeg een ogenblik.
'Ik vind het... ik vind het bijna doortrápt,' zei hij ten slotte. 'Voor twee van die snotveters, hoe kómen jullie erop.'
'Dus je wilt niet meedoen?' vroeg Daan teleurgesteld.
Het hele plan was erop gebaseerd dat opa meedeed. Als hij niet wilde, dan ging de zaak niet door.
'Dat zeg ik niet,' zei opa.
Hij dronk met kleine teugjes zijn beker leeg. Hij keek eens uit het raam. Hij humde. Daans tenen krulden van ongeduld. Zeg ja! smeekte hij in stilte. Toe nou, opa, zeg ja!
'Goed,' zei opa ten slotte. 'Ik doe mee. Maar onder één voorwaarde: als het knokken wordt, wordt er door MIJ geknokt, begrepen?'
'Goed, best, prima!' riep Daan. Hij was bereid om álles te beloven, als het maar doorging. Glunderend keek hij naar Eva, die even hard terug glunderde.
'Hoe laat?' vroegen ze gretig.
'Twee uur?' stelde opa voor.
Ze knikten.
'Twee uur is Uur Nul,' zei Daan plechtig.

26

Woensdagmiddag, tien voor twee. Tien minuten voor het Uur Nul.
Ze stonden voor de ingang van Zonnegloren.
Daan had van pure zenuwen een dubbeldikke brok in zijn keel. Dubbeldik omdat het nu ging gebeuren, en omdat zijn moeder vandaag examen deed.
Ze was vanmorgen wit en misselijk de deur uitgegaan, en Daan had niet het hart gehad om van hun plannen te reppen. Nog afgezien van het feit dat ze het er tóch niet mee eens zou zijn geweest. Hij slikte, slikte nog eens, maar de brok bleef zitten waar hij zat. Hij keek naar Eva. Die zag er even onaangedaan uit als altijd. Zo leek het tenminste. Maar ze verraadde zich doordat ze op haar haar kauwde.
Als ze zenuwachtig was, kauwde ze altijd ergens op. Een pen, een potlood, het koordje van haar jas, en als er niks beters was, op een haarlok.
'Waar stel jij je op?' vroeg hij overbodig.
Ze hadden alles van voor naar achter doorgesproken, en toen nog eens van achter naar voren. Ze konden elk onderdeel wel dromen.
Eva spuugde de haarlok uit.
'Gewoon, hier voor de ingang. Waar anders?'
'Maar toch wel uit het gezicht, hè?' zei Daan.
'Jáha,' zei Eva ongeduldig. 'Achter die bank, dat weet je toch!'
'En als-ie eraan komt...' overhoorde Daan.
'Dan gooi ik me voor zijn voeten,' dreunde Eva op. 'En dan grijp ik hem bij zijn lurven. Als jullie maar zorgen dat je vlak achter hem aan komt, want ik hou 'm alléén niet in bedwang.'

'Goed.' Daan was gerustgesteld. 'Desnoods krijs je de hele boel maar bij elkaar.'
Eva zuchtte overdreven. 'Ik weet heus wel wat ik doen moet. Ga nou maar.' Ze stompte hem tegen zijn arm. 'Succes hè!'
'Joe.'
Met grote wijde stappen liep Daan naar binnen. Hij hoopte dat Eva hem nakeek, zodat ze zou zien wat een vastberaden indruk hij maakte. Hij beende de gang door, om zich heen kijkend of hij iemand zag, maar er was geen mens te zien.
Voor opa's deur bleef hij staan. Hij hief zijn hand op om een roffel te geven, toen de deur ernaast openging.
'Dag Daan,' zei mevrouw Versteeg vriendelijk.
'Dag mevrouw,' mompelde Daan. Hij had geen zin in een praatje, hij had belangrijker zaken aan zijn hoofd.
Maar mevrouw Versteeg dacht er blijkbaar anders over.
'Ik hoor dat jullie een uitstapje gaan maken?'
Daan knikte. Goed zo, dacht hij. Opa had zich kennelijk keurig van zijn opdracht gekweten.
Hij gaf een bons op de deur.
'Veel plezier dan maar,' wenste mevrouw Versteeg.
'Dank u wel,' zei Daan.
De deur ging open, en hij glipte naar binnen. Opa sloot de deur zorgvuldig achter hem.
'Wie was dat?'
'Mevrouw Versteeg,' zei Daan. 'Ze wenste ons een prettige middag.'
'Zie je?' zei opa trots. 'Ik heb ze twee dagen doorgezaagd over hoe ik me erop verheugde om naar het scheepvaartmuseum te gaan. Ze moeten hartstikke gek van me geworden zijn.'
'Dus iedereen weet het?' vroeg Daan. 'Ook Bert?'
'Wat dacht je dan,' zei opa. Hij wreef in zijn handen. 'Ik heb Bert een complete lezing over de scheepvaart gegeven. Hij kan zó op de grote vaart.'

Hij drukte zijn pet wat steviger op zijn hoofd. 'Zullen we dan maar?'
Daan wees naar zijn trui. 'Moet je geen jas aan?'
'Ben je betoeterd,' zei opa. Hij klopte op zijn aanwezige buik. 'Als het menens wordt, moet ik wel een beetje bewegingsvrijheid hebben. En het weer is goed, dus het kan best zo.'
Daan keek op zijn horloge. 'Het is precies twee uur.'
'Uur nul,' zei opa plechtig. Hij grijnsde als een kwajongen. 'Ik voel me twaalf, en geen dag ouder, weet je dat?'
Ze liepen naar de deur en hij haalde zijn sleutels te voorschijn.
'Niet je deur op slot doen!' zei Daan geschrokken.
'Ik laat de sleutel in het slot zitten,' legde opa uit. 'Ik ben een ouwe man, snap je wel? En die vergeten wel eens wat.'
'Goed van jou,' zei Daan bewonderend.
'Het leek me wel een aardig detail,' zei opa achteloos.
Daan grijnsde waarderend. Een jofele opa had hij! Welke opa ging op zijn ouwe dag nog op boevenjacht? Geen één toch zeker!
Ze liepen de gang op, en opa morrelde met het slot.
'Daar gaan we dan,' zei hij luid. 'Tjonge Daan, wat verheug ik me erop!'
'Anders ik wel,' zei Daan net zo luid.
Ze hoefden helemaal niet zo te schreeuwen, want er was niemand die hen hoorde, maar je kon het spel net zo goed zo echt mogelijk spelen. Dus wandelden ze druk pratend de lange gang door, en naar buiten.

Daan loerde onopvallend rond. Eva was onzichtbaar. Zou ze echt wel achter die bank zitten? dacht hij ongerust. Het was net iets voor haar om op het laatste moment nog wijzigingen aan te brengen. Maar daar kon hij nu toch niks meer aan veranderen.
Opa kuierde met zijn handen op z'n rug voor hem uit. Ze sloegen de hoek om, naar de achterkant van het gebouw.

'We moeten wel gebukt onder de ramen door, opa,' zei Daan.
'Tijgersluipgang, heet dat,' zei opa deskundig. 'Hier, hier kunnen we d'r wel over.'
Met een voor een man van zijn leeftijd verbazend lenig sprongetje wipte hij over de afrastering en werkte zich tussen de struiken. Daan volgde hem op de hielen.
De struiken zaten al volop in het blad, en ze konden vanuit het huis nauwelijks te zien zijn. Heel wat beter dan de vorige keer, dacht Daan.
Zorgvuldig ontweek hij uitstekende takken en scherpe doorns. Half gehurkt slopen ze onder de rij ramen door.
'Hier, opa, we zijn er al,' zei Daan gedempt. Hij richtte zich op en kreeg de schrik van zijn leven.
'Je hebt het raam niet opengezet!' fluister-schreeuwde hij.
'Wél,' zei opa onverstoorbaar. 'Ik ben niet achterlijk. Het staat gewoon op een kiertje, kijk maar.'
Daan zuchtte een trillerige zucht van opluchting.
'Als je nog eens wat weet!' fluisterde hij nijdig.
Opa grijnsde. 'Ga jij eerst?'
Hij trok het raam naar zich toe en zette het zo wijd mogelijk open.
Daan hees zich op aan de vensterbank, sloeg een been naar binnen, en stond weer in de kamer die hij net verlaten had. Hij draaide zich om.
'Moet ik je helpen?'
'Ha!' Opa snoof minachtend. 'Ik ben geen ouwe kerel!'
Hij drukte zich op, zette een knie in de vensterbank, boog zich naar voren, en zat klem. Hij wrikte en wrong, en hoe meer hij wrong en wrikte, hoe vaster hij kwam te zitten.
Daan keek met grote ogen toe. Opa vloekte gesmoord.
'Daan! Help even een handje!'
Daan greep hem bij zijn trui en begon te trekken. De trui werd wijder en wijder, maar opa zat muurvast.

'Wat nou?' vroeg Daan benauwd.
'Ja, wát nou, wat nou!' snauwde opa. 'Die trui moet uit, anders red ik het niet. Ik laat me wel weer zakken.'
Hij begon in tegengestelde richting te wringen, en wonder boven wonder schoot hij los. Met een plof belandde hij tussen de struiken. Mopperend trok hij zijn trui over zijn hoofd, smeet hem door het geopende raam, en ondernam een nieuwe poging. Hijgend en zwetend werkte hij zich naar binnen. Daan trok behulpzaam aan zijn overhemd, en de knoopjes spatten de kamer in.
'Laat dat!' foeterde opa. 'Da's m'n goeie hemd!'
Met een laatste krachtsinspanning wurmde hij zijn tweede been over de rand, en mepte een plant uit de vensterbank. De plant kletterde met een voor Daans gevoel donderend geraas op de vloer. Hij kromp in elkaar. Tot zover ging het niet precies zoals hij het zich in bed al drie avonden had voorgesteld.
'M'n cyclaam!' zei opa. 'Gloeiende... hij zat net in de knop!'
Hij bukte zich en begon zorgzaam de losse stelen op te rapen.
'Laat nou maar, opa!' smeekte Daan. 'Straks horen ze ons nog.'
'Ik kan het toch niet laten liggen,' zei opa nijdig. 'Straks zit m'n hele kleed vol vlekken. En trouwens, als er iemand komt, maakt het een rare indruk. Je gaat toch niet weg, en laat zo'n puinhoop liggen?'
Daar zat wat in.
Gejaagd graaide Daan handenvol aarde van de vloer, verzamelde de scherven, en gooide de hele boel in de prullenmand. Hij keek om. Opa stond de cyclaam onder de kraan te vertroetelen, en Daan veegde snel de overgebleven kruimels onder de tafel. Ziezo.
Opgelucht liep hij ook naar het keukentje en sloot de deur achter zich.
'Ligt je portemonnee op tafel?' vroeg hij. In de opwinding had hij vergeten dat te controleren.
'Wat dacht je dan?' zei opa. Hij liet de cyclaam liefdevol in een nieuwe pot zakken.

'Nou maar hopen dat-ie het nog doet,' mompelde hij.
Daan ging op de grond zitten en leunde met zijn rug tegen het aanrechtkastje. Hij kon het zich net zo goed gemakkelijk maken. Wie weet hoe lang ze moesten wachten.
'Weet je dat mama vandaag examen moet doen?' vroeg hij gedempt.
Opa knikte. 'Weet ze hiervan?'
Daan schudde zijn hoofd. 'Durfde ik niet.'
'Da's maar goed ook,' vond opa. 'Het kind heeft al genoeg aan haar hoofd.'
Daan grinnikte inwendig om dat 'kind'.
'Was ze zenuwachtig?' vroeg opa.
'Nou!' zei Daan. 'Ze kon geen hap door haar keel krijgen vanochtend. En ze vergat van alles. Ik heb haar pen nog over het balkon moeten gooien, anders had ze niet eens kunnen schrijven.'
'Het is te hopen dat ze nu slaagt,' zei opa. 'Ze heeft er hard genoeg voor gewerkt. Krijgt ze vandaag de uitslag al?'
'Over een paar weken,' zei Daan.
'Dus je gaat nog een moeilijke tijd tegemoet,' grinnikte opa. Hij liet zich ook op de grond zakken.
'Hèhè, is me dat werken. Ik zou best een borreltje lusten.'
'O ja?' Daan had geen ervaring met borreltjes.
'Da's goed voor de zenuwen,' verklaarde opa. 'Maar ja, zolang de R nog niet in de klok zit...'
Daan gaapte. Zijn maag was hol van spanning.
'Wat denk je, zou Bert erin trappen?'
Opa haalde zijn schouders op. 'Afwachten maar.'

Ze wachtten.
Tien minuten.
Twintig minuten.
Een halfuur.

Daan keek om de haverklap op zijn horloge. Wat króóp die tijd! Stel je voor dat er niemand kwam. Stel je voor dat ze hier de hele middag voor jandoedel zaten. Hij gaapte weer.
Naast hem bewoog opa onrustig. Daan keek weer op zijn horloge. Tweeëndertig minuten.
Het zou toch niet stilstaan? Hij hield het aan zijn oor. Nee, het liep nog.
Opa schoof op zijn billen heen en weer.
'Wat héb je?' fluisterde Daan.
'Niks.' Opa verschoof weer, zuchtte, tilde een bil op, tilde zijn andere bil op.
'Wat ís er nou!' zei Daan boos.
Opa krabbelde overeind. 'Ik moet naar de wc, ik hou het niet meer uit.'
'Voel je je niet goed?' fluisterde Daan verschrikt.
'Jawel,' zei opa. 'Tenminste, als ik naar de wc geweest ben. 't Is woensdag vandaag, snappie?'
Allemachtig, de bruine bonen! Daan giechelde onderdrukt. Hij had vorige week nota bene het menu bestudeerd in de keuken, maar hij had er geen seconde meer aan gedacht.
'Ga dan maar gauw,' fluisterde hij moederlijk.
Opa verdween met gezwinde spoed in de wc.

Daan legde zijn hoofd op zijn knieën. Vanachter de wc-deur kwamen onbestemde geluiden. Arme opa, dacht hij gnuivend, en toen schoot hij met een ruk overeind.
'Opa!' fluisterde hij dringend. 'Je moet niet doortrekken, hoor!'
'Watte?' vroeg opa.
Daan legde zijn mond tegen de deur.
'De wc! Die kan je niet doortrekken. Dat horen ze!'
'Niet dóórtrekken?!' zei opa. 'Ik heb bruine bónen gegeten, man! Wát nou, niet doortrekken!'

'Ja maar,' zei Daan wanhopig. 'Stel je voor dat er net iemand aankomt, dan is alles verpest!'
Opa bromde iets onduidelijks, en Daan sloot vertwijfeld zijn ogen.
'Als je het doet, kijk ik je nooit meer aan!' fluisterde hij woedend.
Achter de deur bleef het stil. Een peinzende stilte.
En in die peinzende stilte hoorde Daan hoe er aan de deur van opa's kamer werd gemorreld.
Hij verstijfde. Zijn oren trokken strak, en hij luisterde met zijn hele lijf.
Heel, heel zachtjes werd de deurkruk naar beneden geduwd.
Daans spieren spanden zich. Hij krabbelde met zijn nagels aan de deur van de wc.
'Opa!' ademde hij. 'Daar komt iemand!'
'Grimb gram grombel,' antwoordde opa.
'Daar komt iemand!' fluisterde Daan. 'Kóm nou, opa!'
'Ik kom zo!' zei opa. Zijn stem klonk benepen. 'Ik kan niet heksen!'
Daan beet hard op zijn knokkels. Wat moest hij nou doen? Als hij op opa bleef wachten... De deur piepte, en hij stond roerloos. De deur piepte opnieuw, en Daan sloop op zijn tenen naar de deur van het keukentje. Hij legde zijn hand op de kruk. Zijn hart bonkte zo hard dat het welhaast aan de andere kant van de deur te horen moest zijn.
De kamerdeur werd voorzichtig, o zo voorzichtig, gesloten.
Daan trok zijn schouders op, kromde zich voor de sprong. Nu? Of nog even wachten?
In de kamer bleef het stil.
Hij kijkt rond, dacht Daan. Zijn geest was opeens merkwaardig helder, en hij probeerde de tijd te berekenen.
Nu komt hij uit het halletje.
Nu ziet hij de portemonnee.
Nu moet hij gaan lopen...

Op hetzelfde ogenblik hoorde hij een voetstap, en nog een, en nóg een.
Daan telde. Drie stappen naar de tafel? Ja, dat kon.
De tafel kraakte. Het was een oude, eikenhouten tafel, en een van de poten zat een beetje los.
Nu!!
Met een ruk smeet hij de deur open en nam een fantastische snoekduik de kamer in.

En toen stond de tijd stil. De hele wéreld stond stil.
Want midden in de kamer, met opa's portemonnee in haar hand, stond mevrouw Versteeg.

27

Ze staarden elkaar aan. Eén seconde, twee seconden... drie, vier, vijf eindeloze seconden.
Opa trok de wc door.
Met beschaafd gereutel liep de stortbak leeg, maar in Daans oren klonk het alsof de Niagara door het keukentje stroomde.
Hij schokte wild omhoog, en mevrouw Versteeg maakte een ongecontroleerde beweging.
Daan stortte zich in een reflex naar voren en greep haar arm, maar ze was onverwacht sterk. Ze rukte zich los, draaide zich om en spurtte naar de deur.
'OPA!!' gilde Daan. 'Opa, kom nou! Help!'
'Ik kom!' brulde opa.
Mevrouw Versteeg gooide de deur open en stormde de gang in.
Heel even weifelde Daan. Maar toen zag hij voor zich hoeveel handelingen opa waarschijnlijk nog moest verrichten, en hij besloot dat hij daar niet op kon wachten.
Hij was met twee sprongen bij de deur, slipte linksaf, en sprintte de gang op. Tien, twaalf meter voor hem uit rende op stakerige benen mevrouw Versteeg. Ze rende hard, veel te hard.
Daan schakelde in een hogere versnelling, en al rennend bedacht hij dat Eva buiten niet zou reageren. Die zat op Bert te wachten, dus een hollende mevrouw Versteeg zou haar hooguit verbazen, maar niet verontrusten.
'Stop!' gilde hij onlogisch.
Mevrouw Versteeg wierp een blik over haar schouder, maar haar pas vertraagde geen moment. Ze was bijna aan het eind van de

gang, toen opoe Roos de hoek om schuifelde, steunend op haar stok en met het hoofd diep gebogen.
Ze was zijn enige kans, besefte Daan.
'Houd de dief!' schreeuwde hij, en voelde zich zwaar belachelijk.
Maar opoe Roos, arme ouwe opoe Roos, wier warrige brein geen enkele samenhangende gedachte meer kon bevatten, opoe Roos keek op. En het woord dief was zo in haar geheugen gebrand dat ze feilloos reageerde.
Ze stak haar stok recht vooruit, als een sergeant-majoor die zijn troepen inspecteert.
Mevrouw Versteeg stuiterde eroverheen, smakte tegen de grond en bleef stil liggen.

Langzaam, met lood in zijn schoenen, legde Daan de laatste meters af.
Opoe Roos keek hem stralend aan.
'Houd de dief!' riep ze met een hoge kinderlijke stem. 'Pak me dan als je kan, je kan me toch niet krijgen!'
Ze sloeg met haar stok om zich heen, en ze schaterde van het lachen. Daan kreeg er kippenvel van.

'Daan!' schreeuwde opa. 'Daan! Is alles in orde?'
Daan keek om. Met wapperende bretels kwam opa aanhollen.
'Wat is er gebeurd? Waar is Bert?'
'Het was Bert niet,' zei Daan vlak. Met half afgewend hoofd knikte hij naar mevrouw Versteeg.
'Zij was het.'
'WAT?!' Opa's mond viel open. 'Je bent gek.'
'En ik heb haar gevangen!' riep opoe Roos jolig. 'En nou krijg ik m'n medaillon weerom.'
'Het is echt zo,' zei Daan. Hij duwde zijn hand tegen zijn kin, die onbedwingbaar bibberde. 'Ze had je portemonnee in haar hand.'

'Maar,' zei opa. 'Maar, hoe kan dat nou. Jullie wisten toch zo zeker, dat Bert... Nou ja, het doet er ook niet toe. Wat is er gebeurd?'
'Opoe Roos heeft haar laten struikelen,' zei Daan moeizaam. 'Over haar stok. En nou, en nou... opa, ze is toch niet dóód?'
Opa knielde naast mevrouw Versteeg en tikte haar zachtjes tegen haar wang. 'Zeg eens wat!'
Mevrouw Versteeg opende haar ogen.
'Mijn been,' fluisterde ze. 'M'n been doet zo'n pijn.'
'Waar precies?' vroeg opa.
'Hier.' Ze legde haar hand op haar bovenbeen.
'Kunt u staan?' vroeg opa.
Mevrouw Versteeg schudde haar hoofd. 'Gebroken, denk ik.'
Opa keek omhoog naar Daan.
'Daan, haal jij als de bliksem de directeur. Zeg dat hij een dokter belt, of nee, laat 'm maar gelijk een ambulance bellen. En zeg dat er haast bij is.'
Daan knikte.
Op houten benen holde hij naar de directiekamer, klopte, en stortte zich naar binnen.
De directeur zat vreedzaam aan zijn bureau te schrijven. Hij keek verwonderd op. 'Wat...'
'Een ambulance!' hijgde Daan. 'En een dokter. Gauw! Mevrouw Versteeg is gevallen, en ze heeft haar been gebroken.'
De directeur was een man die snel kon handelen. Hij verspilde geen tijd met vragen stellen, maar greep de telefoon en blafte om een ziekenauto.
Daan leunde tegen het bureau. Hij was duizelig, misselijk en zweterig. Eva, dacht hij. Ik moet Eva vertellen dat ze niet langer hoeft te wachten. Ik moet... De vloer kwam omhoog, en de kamer begon te kantelen.
Ergens uit de verte hoorde hij de stem van de directeur.

'Gaat het wel goed met jou? Ga even naar buiten, joh, in de frisse lucht.'

Op diezelfde houten benen draaide Daan zich om en wandelde naar de uitgang. Het leek een heel eind, en buiten zakte hij dankbaar op de stoep neer. Suffig keek hij om zich heen.

'Psst!' zei Eva. 'Daan! Hier ben ik!'

Ze dook op vanachter de stenen bank naast het fietsenrek.

Daan zoog de koele buitenlucht in zijn longen, en de mist in zijn hoofd trok op.

'Hij was het niet,' zei hij.

Eva ging naast hem zitten. 'Wat zeg je? Wat zie je er raar uit, wat is er gebeurd?'

'Bert,' zei Daan. 'Het was Bert niet. Het was mevrouw Versteeg.'

Eva's ogen gingen wijd open. 'Mevrouw Versteeg?'

Daan knikte.

'Ik betrapte haar,' zei hij. Zijn kin bibberde nog steeds. 'Maar toen rende ze weg, en toen kwam opoe Roos eraan, en nou ligt ze in de gang.'

'Opoe Roos?' vroeg Eva niet-begrijpend.

'Nee, mevrouw Versteeg.' Daan voelde zich net een robot. Als je op het knopje drukte, kwam het goede antwoord er vanzelf uit rollen. 'Opoe Roos liet haar struikelen, en nou heeft ze haar been gebroken.'

'Wat doe jij dan hier?' vroeg Eva. 'En waar is je opa?'

'Die is daar ook,' zei Daan.

Eva sjorde hem overeind. 'Kom, we moeten erheen!'

Daan stond gehoorzaam op. Half hollend, de armen om elkaar heen geslagen, gingen ze naar binnen.

Mevrouw Versteeg lag nog steeds op de grond. Haar ogen waren open, en ze had opa's trui onder haar hoofd. Opa en de directeur van Zonnegloren zaten naast haar.

Eva en Daan bleven aarzelend staan, verlegen met hun houding.
'De ziekenauto komt eraan,' schutterde Daan.
Opa knikte. 'Weet ik.'
Mevrouw Versteeg draaide haar hoofd in Daans richting.
Hij probeerde haar blik te ontwijken, maar haar ogen wenkten hem. Onwillig hurkte hij neer.
'Ik zei toch al dat ik voor jullie zou uitkijken,' zei mevrouw Versteeg. Er trilde een glimlach rond haar mond.
'Maar...' zei Daan.
'Maar dat bedoelde ik anders dan jij dacht,' fluisterde mevrouw Versteeg. 'Ik had nooit verwacht dat een paar kinderen...' Ze zweeg.
'Waarom deed u het?' vroeg Daan. Het leek opeens heel belangrijk om dat te weten.
'Voor de spanning,' fluisterde mevrouw Versteeg. 'Ik bedoelde het niet zo kwaad. Het was alleen maar... dan gebeurde er eindelijk eens iets.'
Daan keek naar haar witte gezicht, naar de kleurloze ogen, de scherpe vouwen naast haar mond, die te dun leek om te kunnen schaterlachen. En toch moest ze dat gedaan hebben, ooit, heel lang geleden, toen ze nog een meisje was.
In een flits van begrip zei hij: 'U hébt geen zoon, hè?'
Ze schudde haar hoofd. Zweetdruppeltjes glinsterden op haar bovenlip, maar haar ogen bleven strak op zijn gezicht gevestigd.
Daan legde zijn hand op haar arm. 'En uw armband was ook niet gestolen.'
Ze schudde weer van nee.
'Natuurlijk niet. Maar toen jullie zeiden dat je iemand verdacht, dacht ik dat jullie míj bedoelden.'
Het zielige glimlachje verscheen weer.
'Afleidingsmanoeuvre.'
Daan knikte.

‘Ik had het heus wel weer teruggelegd,’ zei mevrouw Versteeg. En met een glimp van haar oude hooghartigheid voegde ze eraan toe: ‘Het geld had ik niet nodig, en het ging me ook niet om die prullen. Ik deed het alleen om de spanning.’
Daan knikte weer. De tranen stroomden over zijn gezicht, maar hij merkte het niet.

28

Het was vol in opa's kamer, overvol.
Opa was er, natuurlijk, en Daan, en Eva. Opoe Roos was er ook, en de directeur, en Bert.
Bert was uit het niets opgedoken toen de ambulance kwam voorrijden. Hij had de broeders geholpen met de brancard, en híj was degene die eraan dacht om wat nachtgoed en toiletgerei in een tasje te stoppen en aan mevrouw Versteeg mee te geven. Nu zat hij op zijn dooie gemak in opa's leunstoel en rolde een sigaret.
Opa had zich in de keuken verschanst. Hij scharrelde bedrijvig met kopjes, rammelde met de koffiepot, en liet lepeltjes vallen.
De directeur zat ongemakkelijk op een rechte stoel bij de tafel en trommelde een mars op het tafelblad.
'Kan iemand mij misschien uitleggen wat er nu precies aan de hand is?' informeerde hij.
Hij wierp een onderzoekende blik op Eva en Daan.
'Jullie zijn toch die twee kinderen van dat project?'
Ze knikten.
'Dat project,' begon Daan. Hij hoestte. 'Dat project,' zei hij weer. 'Dat was eh, dat was flauwe... dat was niet echt. Dat hadden we maar verzonnen.'
Hij keek naar Eva, maar die bewonderde haar schoenveters.
'We wilden, we hadden een detectivebureau opgericht,' zei Daan. Hij vond het zelf ineens vreselijk kinderachtig klinken.
'Detectivebureau Koning en Van Tuil. Enne, we wouden, we wilden bewoners interviewen die bestolen waren, en ook het personeel. Om te zien of iemand iets wist.'

'Verrek,' zei Bert. 'Vroegen jullie me dáárom het hemd van het lijf?'
Daan knikte.
'En toen?' vroeg de directeur.
'Toenne, toen vonden we dat iemand zich verdacht gedroeg,' zei Daan. Zijn schoenveters waren grijs. Donkergrijs met een wit streepje.
'Ga door,' zei de directeur. 'Wie was dat?'
'Dat was Bert,' zei Daan onduidelijk. Hij mocht wel eens nieuwe veters kopen, deze rafelden.
'Ikke?' zei Bert verbluft.
Daan knikte schuw.
'Waaruit leidden jullie dat af?' De directeur was een vasthoudend man.
Daan haalde diep adem. Het moest er nou maar allemaal in één keer uit. 'Omdat hij zei dat hij maar een schijntje verdiende, maar hij reed wél mooi in een nieuwe auto rond! En hij had een hele stapel suède jassen achterin liggen, en in zijn slaapkamer hingen er nog meer. Wel een stuk of tien. En niemand heeft toch zeker tien jassen?'
Hij hield op omdat hij een raar geluid hoorde. Verbaasd keek hij op.
Bert lachte! Hij lachte zo hard dat de paperclips in zijn oor vrolijk op en neer dansten.
'Ben je niet boos?' vroeg Daan opgelucht.
'Boos?' Bert lachte nog harder. 'Wat een bak! Weet je van wie die auto is? Van een vriend! Die is vertegenwoordiger... ha ha ha... vertegenwoordiger van een firma die in jassen doet. Léren jassen! Ha ha!'
'En die kamer dan?' vroeg Daan, met toch nog een restje wantrouwen. 'En die mooie cd-speler?'
'Ook van die vriend.' Bert veegde de tranen uit zijn ogen. Hij stak zijn sjekkie aan, dat was uitgegaan. 'Die was op vakantie, dat ver-

telde ik jullie toch? Ik heb zolang op z'n spullen gepast. Dacht jij dat ík daar woonde? Was het maar waar, man. De Willem de Zwijgerlaan! Ik zou de húúr niet eens kunnen betalen.'
'Maar waarom zat z'n klerenkast dan op slot?' zei Eva plotseling.
Bert keek haar stomverbaasd aan. 'Klerenkast op slot? In z'n slaapkamer bedoel je? Hoe weet jij dat nou?'
'Omdat ik daar rondgekeken heb,' zei Eva. 'Want ik dacht dat daar die gestolen spullen dan wel zouden liggen.'
'Rondgekeken? In de slaapkamer?' vroeg Bert.
Heel even leek het erop dat hij kwaad zou worden, maar toen begon hij opnieuw te lachen. 'En jij hield zo van garagerock! Wat een stelletje gehaaide krengen zijn jullie!'
'Maar waaróm zat die kast dan op slot?' zei Eva hardnekkig.
'Omdat het slot kapot is, juffie steekneus,' verklaarde Bert. 'Als je 'm niet afsluit, zwaait die deur steeds open.'
'Ja maar, die sleutel...' begon Eva weer.
'Lááť die sleutel nou maar,' zei Daan haastig.
Hij voelde dat ze maar beter niet meer konden aandringen. En trouwens, die kapotte band was er ook nog... Hoe moest het daar nou mee?
'Godsamme,' zei Bert nog eens verbaasd. 'Dat jullie nou per se míj moesten hebben.'
'Nou ja,' legde Eva uit, en maakte het daar alleen maar erger mee: 'Je ziet er ook een beetje... eh...'
'Apart uit, wou je zeggen,' zei Bert. 'Ja, daar hou ik van, hè. Niet met de massa meehollen, maar je eigen stijltje bepalen.'
Met welgevallen bekeek hij zijn zilvergespoten laarzen, die zwart afgaven op het linoleum van de gang.
De directeur kuchte.
'Ik geloof dat we van ons onderwerp afdwalen. Het is me nog steeds niet duidelijk wat mevrouw Versteeg daarmee te maken heeft.'
'Omdat zíj het gedaan had,' zei Daan.

'Houd de diefl' meldde opoe Roos opgeruimd.
De directeur begon er enigszins aangeslagen uit te zien.
'Maar...' begon hij opnieuw.
Opa kwam eindelijk binnen met koffie.
'Ik geloof dat ik u wel enige uitleg verschuldigd ben,' zei hij. Hij plensde koffie op de schoteltjes, hij gaf zijn pet een ruk naar links, toen een ruk naar rechts en schraapte zijn keel.
'De kinderen hier hadden het plan om de inbreker te betrappen. Dus we hadden een valletje opgesteld, niet jongens?'
Daan en Eva knikten. Daan leunde opgelucht achteruit in zijn stoel. Hij wreef tersluiks over zijn ogen, die branderig aanvoelden.
'Hier in mijn kamer,' vervolgde opa. 'Ik zou zogenaamd met m'n kleinzoon een middag uit, zodat het zou lijken alsof er niemand was. Maar we zijn door het raam weer naar binnen geklommen, en toen hebben we afgewacht of er iemand kwam. En tevoren had ik al overal rondgebazuind dat ik vanmiddag niet thuis zou zijn.'
Bert begon weer te grinniken. 'Zanikte u dáárom zo door over dat museum?'
'Heb je d'r nog wat van opgestoken?' vroeg opa, ook grinnikend.
De directeur roerde bedachtzaam zijn koffie.
'En toen kwam niet Bert binnen, maar mevrouw Versteeg?'
'Precies,' zei opa. De pet kreeg weer een ruk. 'Dat is zo'n beetje het hele verhaal in een notendop.'
'En nou krijg ik mijn medaillon weerom,' zei opoe Roos, die blijkbaar goed had opgelet.
De directeur knikte. 'Ik zal het zo meteen voor u gaan halen. Het zal wel hiernaast in de kamer liggen, samen met alle andere dingen. We zullen tenminste nu maar aannemen dat hiermee ook de andere gevallen zijn opgelost.'
'Waarom zou ze het eigenlijk gedáán hebben?' vroeg Eva zich hardop af.
'Voor de spanning,' zei Daan. 'Ze wou zo graag dat er eens iets

gebeurde, maar d'r gebeurde natuurlijk nooit wat. Dus toen zorgde ze er zelf maar voor.'

Opa keek hem opmerkzaam aan. 'Zei ze dat tegen jou, daarstraks?'

Daan knikte. 'Ze zei ook nog...' Hij slikte, ging die rotbrok dan nooit weg?

'Ze zei ook nog dat het haar niet om het geld begonnen was, en ook niet om die andere dingen. En dat ze van plan was geweest om alles weer terug te leggen.'

Er viel een stilte.

Daan bestudeerde weer zijn veters. Hij voelde zich ellendig. Goed beschouwd was het hún schuld dat mevrouw Versteeg nu in het ziekenhuis lag. Ze hadden het anders aan moeten pakken. Ja, maar hoe dan?

Wij konden toch ook niet weten dat zij het was, dacht hij. En dat ze er op zo'n idiote manier vandoor zou gaan. Dus als je het zó bekeek, was het haar eigen schuld. Per slot van rekening was zíj begonnen. En 't was ook een rotstreek om die zielige ouwe mensjes te beroven, ja toch?

Zijn gedachten draaiden en kronkelden om een uitweg te vinden, maar het schuldgevoel bleef.

'Nou snap ik waarom er maar zo weinig gejat werd,' zei Eva opeens. 'Ze wilde alleen maar aan zichzelf laten zien dat ze het kón.' Ze keek triomfantelijk naar Daan. 'Zie je nou wel dat ik gelijk had! Er wás iets raars. En die vrijdag klopte óók niet! Er werd toch altijd alleen maar aan het begin van de week gestolen? Dus we hadden kunnen weten dat het Bert niet was!'

Daan knikte lusteloos. Het kon hem geen klap meer schelen wie er gelijk had en wie niet. Hij was doodmoe opeens, en hij wou naar huis.

De directeur stond op. 'Ik ben het niet eens met de manier waarop de zaak is opgelost,' zei hij. 'Maar ik wil jullie tóch bedanken.

Al met al is het een nare geschiedenis.'
'Als we vooruit geweten hadden...' begon opa, maar de directeur gebaarde met zijn hand.
'Dat begrijp ik. Overigens zal ik wel de politie moeten inlichten. Per slot van rekening is er aangifte gedaan. Ik zal zorgen dat dat ingetrokken wordt. Niemand is ermee gebaat als dit aan de grote klok gehangen wordt, mevrouw Versteeg wel het minst. Die is al genoeg gestraft, dunkt me. Mevrouw Roos, gaat u mee?'
Opoe hobbelde gehoorzaam achter hem aan.
Bert stond op en rekte zich uit. 'Ik ga ook maar es pleite. Van werken komt nou toch niks meer. De mazzel allemaal.'
Bij de deur draaide hij zich om. Er lag een lepe blik in zijn ogen. 'Ik bedenk me net,' zei hij langzaam. 'Die lekke band, had ik die soms óók aan jullie te danken?'
Shit, dacht Daan.
Opa humde.
'Zullen we die maar op mijn kosten laten repareren?' zei hij.
'Die is al gerepareerd,' zei Bert afwachtend.
Opa tastte in zijn zak. 'Hoeveel?'
'Vijftien euro,' zei Bert zakelijk.
Opa gaf hem het geld. 'Afgedaan?'
Bert grijnsde. 'Voor de bakker.'

29

Daan legde de hoorn neer en liep naar de slaapkamer.
'Eva staat om halfzeven op de stoep,' berichtte hij. 'In een jurk.'
Zijn moeder schoot in de lach. 'Een júrk? Zouden we haar wel herkennen, Daan?'
Daan grinnikte. 'Toen haar moeder hoorde dat we in de Swarte Swaen gingen eten, mocht ze alleen mee op voorwaarde dat ze een jurk aantrok. Jij hebt trouwens ook een rok aan.'
'Ja, maar ik ben het feestvarken,' zei zijn moeder. Ze boog zich naar de spiegel en streek met een mascararoller over haar wimpers. 'Shit, nou heb ik gemorst.'
Voorzichtig wreef ze in haar tranende oog. 'Au, wat prikt dat gemeen!'
'Smeer die rommel er dan ook niet op,' zei Daan logisch.
'Ha!' zei zijn moeder. 'Bevoegde leraressen Engels horen er verzorgd uit te zien, als je dat maar weet. En zeker als ze in de Swarte Swaen gaan eten.'
Ze schroefde de mascararoller in elkaar en zuchtte. 'Nou alleen nog een baan.'
'Tuurlijk krijg je een baan,' zei Daan optimistisch. 'Je solliciteert toch?'
Ze was eindelijk geslaagd. Op het nippertje, maar dat gaf niet. En dat gingen ze nu vieren. Daan had liever naar de chinees gewild, of naar een pizzeria, maar zijn moeder wou op sjiek.

De Swarte Swaen wás sjiek, zag hij toen ze binnenkwamen. Een zwartgerokte ober schoot meteen op hen af.

'Mag ik uw jassen aannemen?'
Dat mocht. De ober hing de jassen zorgzaam aan de kapstok en strekte zijn hand uit naar opa's pet. Opa deinsde achteruit.
'Die hou ik op,' zei hij ferm.
'Maar meneer...' murmelde de ober.
'Anders tocht het me te veel,' verklaarde opa.
De ober was geschokt. 'In ons restaurant tocht het niet, meneer.'
'Kan best wezen,' zei opa. 'Maar zonder pet ben ik maar een half mens, begrijpt u wel?'
De ober glimlachte krampachtig. 'Wij zijn gewend dat onze gasten zich kleden, meneer.'
Maar opa wist van geen wijken. 'Ik bén gekleed,' zei hij halsstarrig. 'Ik heb zelfs een pet op.'
De ober gaf het op. Hij liep stram voor hen uit naar de eetzaal. Opa stevende binnensmonds mopperend achter hem aan. Daans moeder knipoogde.

Binnen fluisterde een piano, en op de witgedekte tafels glinsterde zilver. Een nieuwe ober deelde menukaarten uit zo groot als een Bosatlas.
'Zullen we eerst iets drinken?' zei Daans moeder. 'Wat wil jij, pa?'
'Een jonge,' zei opa.
De ober nam de bestellingen op en zweefde weg.
Daan schuifelde onwennig op zijn stoel heen en weer en trok aan zijn nieuwe spijkerbroek, die nog kartonnig was. Hij keek naar Eva. Ze zat met zijn moeder te praten, volkomen op haar gemak.
Opa ving zijn blik op en grijnsde. Hij boog zich naar Daan over. 'Niks voor ons, die kouwe kak, wat jij, jong? Het sterft hier van de kraaien, heb je dat gezien?'
'Kraaien?'
'Kelners,' verduidelijkte opa. 'Moet je maar opletten straks. Er

komt er eentje voor de wijn, en een andere voor het eten, en op het eind een om te vragen of het gesmaakt heeft.'
Daan lachte. 'Hou jij ook niet van dit soort tenten?'
Opa wipte zijn glaasje achterover.
'Zolang ze een fatsoenlijke borrel schenken, vind ik alles best. En 't is je moeders avond. Als het kind dat nou leuk vindt.'
Daan knikte. Hij keek naar zijn moeder, die vanavond wel een meisje leek. Haar ogen straalden, en haar pasgewassen haren sprongen om haar gezicht. Eigenlijk is ze hartstikke knap, dacht hij trots.
Ze aten een koud voorgerechtje, een warm voorgerechtje, een rolletje vis dat Daan niet lustte, en daarna kwam er ijs.
'Is dit het toetje al?' vroeg hij verbaasd.
Als dat alles was! Hij barstte nog van de honger.
Eva giechelde. 'Nee joh. Dat is voor tussendoor. Dat hoort zo.'
'O.' Daan lepelde gerustgesteld zijn ijs. Als Eva het zei, zou het wel goed zijn. Die was al vaker hier geweest.
Bij het vlees werd tot zijn opluchting een hele berg frietjes geserveerd. Hij hield niet van die grote lappen vlees, en dit was ook nog rood vanbinnen. Manmoedig kauwde hij de helft weg, onderwijl verlangend naar een pizza met kaas en ham.

Bij het toetje zei opa opeens: 'Had ik al verteld dat ik bij mevrouw Versteeg ben geweest, nee hè?'
Verrast keek Daan op. 'Hoe is het met haar, opa?'
'Best,' zei opa. 'Tenminste – ze is nou in een revalidatiecentrum. 't Was niet haar been, het was haar heup. Ze heeft een heupfractuur. Jullie moesten de groeten van haar hebben.'
Daan en Eva keken elkaar aan. 'De gróeten?!'
Opa knikte.
'De groeten. Daar kijk je van op, hè? Maar ze leek wel een heel ander mens geworden. Ze heeft een hoop aanspraak daar. Ze moet

loopoefeningen doen, en ze doen een soort gemeenschappelijke gymnastiek, heb ik begrepen. Om kort te gaan, ze heeft mensen om zich heen die zich met haar bezighouden. Aandacht, begrijp je wel?'
Hij dronk zijn laatste restje wijn op.
'En dat is precies wat ze nodig had, volgens mij. Ik heb in een uur tijd meer met haar gesproken dan in de afgelopen twee jaar bij elkaar. En heel plezierig.'
Daans moeder draaide nadenkend haar glas rond tussen haar vingers.
'Je bedoelt dat ze er iets van geleerd heeft?'
'Die indruk kreeg ik wel,' zei opa. 'Volgens mij ligt ze weer aardig op koers. Ik heb nog m'n excuses aangeboden voor dat hele akkefietje, maar daar wou ze niks van weten.'
Daan en Eva keken weer naar elkaar, nu met opluchting in hun ogen.
Opa legde zijn handen op zijn buik en leunde achteruit in zijn stoel. 'Zullen we gaan? Ik heb een beetje frisse lucht nodig.'

Thuis zei Daan: 'Mam, wat is dat precies, een heupfactuur?'
Zijn moeder geeuwde uitgebreid. 'Heupfractuur, niet factuur. Ze heeft haar heup gebroken. Fractuur betekent breuk.'
'Goh,' zei Daan onder de indruk. 'Dat is ernstig, hè?'
Hij dacht er weer aan hoe ellendig hij zich gevoeld had, toen mevrouw Versteeg daar zo hulpeloos op de grond lag.
'En eigenlijk is het ónze schuld.'
Zijn moeder schudde haar hoofd. 'Ik denk dat je dat anders moet bekijken. Ik geloof niet dat je van schuld kunt spreken. Het was een samenloop van omstandigheden.'
Ze trok hem aan zijn oor. 'Ga daar nou niet over piekeren, Daan.'
Daan was even stil.
'Zal ik haar wat sturen?' vroeg hij toen. Hij aarzelde.
'Bloemen of zo? Of zou ze dat raar vinden?'

'Hoezo raar?' zei zijn moeder. Ze schopte haar schoenen uit en kneedde haar tenen.
'Ik vind het een goed idee van je. Of nóg beter, ga met Eva! Dan kun je zelf zien hoe het met haar gaat. En beschouw het daarna als afgedaan, oké?'
Daan schrok. Ernaartoe! Dat durfde hij nooit!
Hij zag het al voor zich: 'Dag mevrouw, hoe gaat het met u? Ik dacht, ik kom eens gezellig op bezoek.'
Het zou hem niet verbazen als ze hem met haar gipsen been de kamer uitschopte. O nee, ze had geen gips.
'Nou?' vroeg zijn moeder.
'Dat... ik...' hakkelde Daan. 'Ik ga liever met jou, als 't dan per se moet.'
Zijn moeder duwde hem voor zich uit naar de badkamer.
'Goed, dan gaan wij met z'n tweetjes. Morgen. En nu gaan we naar bed.'

Het revalidatiecentrum leek meer op een luxe hotel.
Tenminste, aan de buitenkant. Een gazon als een voetbalveld, bloeiende bomen, zitjes met vrolijke parasols erboven.
Binnen was het minder vrolijk.
Binnen scharrelden mensen achter looprekken, zaten in rolstoelen of krukten op krukken.
Daan liep dicht naast zijn moeder, een grote bos gele theerozen in zijn hand. Hij keek er een beetje ongerust naar. Ze zou toch wel van rozen houden? Er zat drie weken zakgeld in die bos; ook alvast dat van volgende week.
'Weet ze eigenlijk dat we komen?' vroeg hij.
Zijn moeder keek opzij en knipoogde geruststellend.
'Ik heb opgebeld.' Ze wees. 'Kijk, daar is ze.'
Ze duwde een klapdeur open en stevende een zonnig zaaltje binnen. Daan sloop slecht op zijn gemak achter haar aan, zijn ogen

strak op de grond gevestigd. Hij nam de bloemen in zijn linkerhand en veegde de zweterige rechter droog aan zijn broek.
Zijn moeder bleef bij een tafeltje staan.
'Dag mevrouw Versteeg.'
Daan was zo met zichzelf bezig dat hij tegen haar opbotste. Hij liet de bloemen vallen en bukte zich met een kleur als vuur om ze op te rapen.
'Dag Daan,' zei mevrouw Versteeg.
Daan keek op. Zijn ogen werden groot. Ze zat! Ze zat gewoon rechtop in een stoel, en ze had een jurk aan (diezelfde grijze jurk, zag hij in de gauwigheid), en ze dronk koffie.
Hij was zo opgelucht dat hij vergat iets terug te zeggen.
Mevrouw Versteeg glimlachte. 'Zijn die voor mij?'
'Ja, uh... alstublieft,' stotterde Daan. Hij stak de rozen naar voren, duwde ze bijna in haar gezicht.
'Theerozen!' zei mevrouw Versteeg blij. 'Wat mooi, en wat ruiken ze lekker! Dank je wel.'
'Alstublieft,' zei Daan weer, en voelde zich de grootste oen ter wereld.
'Zal ik ze even in een vaas zetten?' bood zijn moeder aan.
'Dat doet de zuster zo meteen wel,' zei mevrouw Versteeg. Ze wees naar twee stoelen. 'Ga zitten.'
Er viel een stilte.
'Hoe gaat het met u?' vroeg zijn moeder toen.
'Goed,' zei mevrouw Versteeg. 'Dat wil zeggen: Ik loop, al is het nog niet zo ver, en de dokter is tevreden. Meer kan ik voorlopig niet verlangen.'
Ze zweeg.
Daan voelde dat ze naar hem keek, maar hij staarde hardnekkig naar het kleedje op de tafel. Dat was groen en geel geruit, of was het blauw en geel? Wit zat er ook in, en een beetje...
'En hoe gaat het met jou, Daan?' vroeg mevrouw Versteeg.

Daan sloeg zijn ogen op, en meteen weer neer. 'Prima.'
'En met je vriendinnetje?' informeerde mevrouw Versteeg.
Daan hoorde aan haar stem dat ze lachte.
Hij keek opnieuw op.
Ze lachte inderdaad, maar het was een échte lach. Niet neerbuigend, niet hooghartig, niet spottend. Een gewone, vriendelijke lach.
Daan haalde diep adem. 'Doet het nog pijn?'
Mevrouw Versteeg knikte. 'Zeker. Maar daar krijg ik pilletjes voor, en die helpen goed.' Ze bleef hem aankijken. 'Je voelt je schuldig, hè?'
Pang!
Daan zei niets. Hij rolde een punt van het kleedje op, en weer af, op en weer af. Mevrouw Versteeg legde haar hand op zijn friemelende vingers.
'Dat hoeft niet, Daan,' zei ze nadrukkelijk. 'Dat is nergens voor nodig.' Ze lachte weer.
'Sterker nog, je hebt me misschien zelfs wel een dienst bewezen.'
Ze maakte een gebaar naar haar heup.
'Dit is geen pretje, verre van dat. Maar het is mijn eigen schuld.'
Ze schudde zijn hand heen en weer.
'Wil je dat goed in je oren knopen? Ik had beter kunnen weten, beter móeten weten. Ik ben drieënzeventig, Daan, en dames van drieënzeventig hóren niet stelend door bejaardenhuizen te sluipen, zelfs niet als ze zich vervelen.'
Daan lachte, hij kon er niets aan doen.
Zijn moeder lachte ook, en mevrouw Versteeg lachte mee.
'Dus u, eh, u bent niet boos?' vroeg Daan nog eens ten overvloede.
Mevrouw Versteeg ging voorzichtig verzitten in haar stoel.
'Ik ben niet boos. Ik zal niet zeggen dat ik je dankbaar ben, maar ik heb veel nagedacht. Over mezelf. Over hoe ik vroeger was, en hoe ik nu ben.'

Ze plukte gedachteloos een doorn van een bloemstengel en gooide hem in de asbak.
'Weet je dat ik onderwijzeres ben geweest? Nee, dat weet je natuurlijk niet. Ik heb vijfendertig jaar voor de klas gestaan. Toen werd ik ziek en mocht ik niet meer werken.'
Ze keek op. 'Ik heb het zo gemist, Daan. De kinderen, de vrolijkheid, mijn collega's. Dat hele drukke, gezellige leventje op een school. Pats! In één keer weg. En daar zat ik. Thuis. Niets te doen, niemand die iets tegen me zei. Niemand die me nodig had. En toen werd ik wéér ziek, en daarna ben ik in Zonnegloren gaan wonen.' Ze trok nog een doorn los.
'En daar ging het pas goed mis. Al die oude mensen met hun kwaaltjes, en hun belevenisjes, en hun oninteressante verhalen. Ik voelde me er absoluut niet thuis. Ik voelde me ook te jóng. Dat zal jou wel vreemd in de oren klinken, maar het is echt zo.' Er sneuvelde nog een doorn. Mevrouw Versteeg zuchtte.
'Het ergste was dat er niets gebeurde. Elke dag leek precies op de vorige. Ik voelde me nutteloos, en overbodig, en buitenspel gezet. Ik begon me af te sluiten, voelde me ver boven iedereen verheven. En dat ging van kwaad tot erger, en, nou, de rest weet je.'
Daan knikte. Ze zwegen een poosje.
'En nu?' vroeg hij.
'Hoe bedoel je, en nu?' vroeg mevrouw Versteeg.
'Wat gaat u nu doen?' vroeg Daan.
Mevrouw Versteeg gebaarde om zich heen. 'Als ik hieruit ben, ga ik niet meer de hele dag in een kamertje zitten wachten op dingen die tóch niet gebeuren. Ik ga zélf iets doen. Een cursus volgen, of me opgeven bij een club...'
'Misschien is een gymnastiekclubje tóch wel iets voor u,' flapte Daan eruit, en schrok er zelf van.
Maar Mevrouw Versteeg lachte. 'Wie weet. Hoe dan ook, ik ga niet meer zo bij de pakken neerzitten. Als ik zie hoe sommige mensen

hier eraan toe zijn, en toch nog een opgewekt gezicht kunnen tonen, dan voel ik me klein. En beschaamd.'
Haar grijze ogen keken hem vorsend aan.
'Begrijp je wat ik bedoel?'
Daan knikte weer.
Mevrouw Versteeg glimlachte.
'Weet je wat Bert tegen me zei toen ze me in de ambulance naar het ziekenhuis brachten? Hou je taai, zei hij. En dat is precies wat ik van plan ben.'
Ze klopte op zijn hand. 'En nu zand erover. Daar is de zuster. Willen jullie iets drinken?'
Daan strekte zijn schouders dat ze ervan kraakten, en rechtte zijn rug.
'Graag,' zei hij.

Thuis liep hij fluitend naar zijn kamer, waar het fossielenproject half afgemaakt op hem lag te wachten. Hij ging zitten en greep ijverig naar zijn werkschrift, maar hij was te rusteloos om behoorlijk te kunnen werken.
Hij sloeg het schrift dicht en borg de boel in zijn la. Tjonge, wat was 't daar een troep, die kon hij nou mooi eens even opruimen. Hij sorteerde potloden, pennen, tekenspullen, maakte stapeltjes van lege en beschreven vellen papier, smeet proppen in de prullenmand. Helemaal onder in de la lag een opgevouwen vel. Nóg een oud proefwerk?
Hij vouwde het open en begon te lezen.

Eva, toen ik jou gewaar werd...

Z'n gedicht! Dat was waar ook. Glimlachend las hij het twee keer over. Helemaal niet slecht, hij moest het toch eens afmaken. Als-ie eerst maar een woord wist dat rijmde op ravenvleugels, dan zou je

eens wat beleven! Wie weet wat er voor een dichter in hem stak...
Hij vouwde het papier weer op en legde het terug in de la. De onrust kriebelde nog steeds in zijn benen. Wat zou hij nou eens gaan doen? Kijk die zon eens schijnen!
Hij stond weer op, maakte een paar gymnastische toeren, drentelde naar de kamer.
'Ik ga even kijken of Eva thuis is.'
Zijn moeder zat op het balkon, haar gezicht naar de zon gekeerd. Op haar schoot lag een schrijfblok.
'Wat ben je aan het doen?' vroeg Daan.
'M'n vierde sollicitatiebrief in elkaar aan het draaien,' zei z'n moeder. 'Maar eigenlijk ben ik er te lui voor. Die zon is zo heerlijk.' Genietend rekte ze zich uit. 'Ben je om zes uur thuis?'
Daan was al op weg naar de gang. 'Joehoe!'

Ze slenterden door de tuin van het Kasteel.
Het water van het zwembad kabbelde zachtjes tegen de kanten en weerspiegelde de blinkendblauwe lucht. Daan knikte naar het zwembad.
'Is het water nog niet warm genoeg?'
'Voor mij niet,' huiverde Eva. 'Gisteren was het zestien graden.'
'O.' Daan staarde verlangend naar de witte tegels op de bodem, die mee leken te kabbelen.
'Nou ja, ik heb toch geen zwembroek bij me.'
'Zullen we een eind gaan fietsen?' vroeg Eva.
'Ja, goed.' Daan had wel zin om zich even flink uit te sloven. 'De stad uit? Tot aan de molen?'

Ze fietsten. Ze fietsten langs weilanden die geel zagen van de boterbloemen. Lammetjes probeerden wie het hoogst kon springen, en paarden lagen op hun rug te rollen als jonge honden.
Ze fietsten langs sloten waarop het eendenkroos dofgroen glans-

de. Eendjes als gele speedbootjes roeiden er donkere sporen doorheen.
Ze fietsten, hun banden zoevend op het asfalt, hun spaken glinsterend in de zon. Bij de molen stapten ze af, legden hun fietsen in het gras en gingen er zelf naast liggen.
Daan vouwde zijn armen achter zijn hoofd en snoof.
Het gras rook zoals gras in de lente hóórt te ruiken.
Hij plukte een grasssprietje, stak het in zijn mond en kauwde. Het smáákte ook zoals het behoorde te smaken, constateerde hij voldaan.
Naast hem zei Eva: 'Zie je die wolk daar, Daan? Als je je ogen een beetje dichtknijpt, is het net kabouter Puntmuts.'
'Ja.' Daan keek niet naar de wolken, hij keek naar Eva.
'Je kijkt niet,' zei Eva verwijtend. 'Toe nou, zo meteen is-ie weg.'
Daan keek gehoorzaam omhoog.
'Die daar,' wees Eva. 'Zie je wel? Daar z'n neus, en die punt bovenaan is zijn muts.'
Daan herkende er geen kabouter Puntmuts in, al had hij er geld mee kunnen verdienen, maar hij knikte. 'Ik zie het.'
'Je krijgt sproeten,' voegde hij er onlogisch aan toe.
'Sproeten? Je bent gek,' schrok Eva. 'Waar dan?'
'Op je neus,' zei Daan. 'En hier, en hier.' Hij raakte haar wang aan.
Eva bloosde en sloeg zijn hand weg. 'Je zit te klieren.'
'Niks hoor,' zei Daan. Hij rolde weer op zijn rug.
De zon scheen fel op zijn gezicht, en hij sloot zijn ogen. Losse gedachten buitelden over elkaar heen. Eva zo meteen vertellen dat hij bij mevrouw Versteeg geweest was. Zou ze kwaad zijn dat hij zonder haar was gegaan? Tjonge, wat was die zon heet, hij voelde dat hij verbrandde. Straks hingen de vellen weer aan z'n neus. Raar idee, om na de vakantie naar een andere school te gaan. Brugpieper was hij dan. Zouden die lui van de hogere klassen je echt zo pesten? Nou ja, dat zag-ie dan wel weer...

Hij gaapte. O ja, hij moest nog vertellen…
'Weet je wat ik gedaan heb?' mompelde hij lui.
'Nou?'
'Ik ben bij mevrouw Versteeg geweest. Samen met m'n moeder. Ze is nou toch in een revalidatiecentrum?'
'Wie, je moeder?' vroeg Eva snugger.
'Nee, suffie, mevrouw Versteeg! Het gaat hartstikke goed met haar. Ze is helemaal niet meer zo streng en zo. Ze deed heel aardig. Je moest de groeten van haar hebben.'
Eva leunde op een elleboog.
'Ben je er geweest? Durfde je dat? Goh, blij dat ik niet hoefde. En komt ze weer terug in Zonnegloren?'
'Nee,' zei Daan. Hij spuugde de grasspriet uit en nam een nieuwe. 'Ze gaat naar een ander huis.'
'Da's maar beter ook,' vond Eva. 'Tjé, dan is het nog goed afgelopen, hè?'
Daan knikte. 'Ze zei dat het haar eigen schuld was, maar ik vond het toch wel rottig. Had jij dat ook?'
'Mmm.'
Eva zweeg even. 'Eigenlijk niet,' zei ze toen. 'Ik vond het wel zielig voor haar, hoor, maar ze heeft toch wel een beetje haar verdiende loon gekregen. Ik vond het zó gemeen wat ze gedaan heeft. Die ouwe opoe Roos, die vond ik veel zieliger.'
Daan zweeg ook.
Eva was soms toch wel keihard. Hij dacht aan mevrouw Versteeg, hoe blij ze geweest was met die bloemen, en hoe eerlijk ze tegen hem gepraat had. Dat was toch wel dapper geweest. Zou hij nou vertellen van die bloemen, of zou Eva dat gek vinden voor een jongen? Nou en, dan vónd ze het maar gek, kon hem wat bommen.
'Ikke, ik heb haar bloemen gegeven,' zei hij, toch wat aarzelend. 'Ik wou ze eerst sturen, maarre…'
En gelukkig, hij had zich niet vergist, want:

'Jee, bloemen, dat kan ik ook wel doen,' zei Eva. 'Misschien doe ik het nóg wel. Goh, wat aardig van je, Daan!'
'Ja, hè?' zei Daan dwaas-vergenoegd.
Hij kauwde op zijn grasspriet, snoof de zomer nog eens op, en was volmaakt tevreden.

30

De zomerdagen gleden als zand door hun vingers. Ze zwommen veel, ze fietsten, en Eva probeerde Daan te leren tennissen.
Veel aanleg had hij niet. Hij miste ballen die volgens Eva doodgemakkelijk waren, en over de spelregels maakten ze ruzie, omdat die naar Daans mening onlogisch in elkaar zaten.
Op school stond alles in het teken van het naderende afscheid. Er was de jaarlijkse musical, waarin Daan tot zijn grote opluchting geen rol kreeg.
Hij had doodsangsten uitgestaan dat hij had moeten zingen. Zijn stem deed de laatste tijd absoluut niet meer wat hij wilde. Daan had zich al op het podium zien staan, het ene ogenblik piepend als een jongejuffer, het volgende brommend als Sinterklaas.
In plaats daarvan mocht hij de verlichting bedienen.
Dat ging schitterend, behalve op het eind. Toen draaide hij per ongeluk de verkeerde schakelaar om, zodat het hele podium plotseling stikdonker werd, en Jochem, verkleed als oosterse prins, bijna zijn nek brak.
Tot grote vreugde van de zaal riep hij: 'Kijk je uit, eikel!'
Waarna hij zonder haperen doorging met zijn officiële tekst.

De laatste schooldag kwam, en vloog voorbij. Ze ruimden de allerlaatste spullen uit hun kastjes, ze haalden de allerlaatste tekeningen van de muur, en meester Neteman zei voor de allerlaatste keer Koning Daan.
Om drie uur liepen ze bedaard door de gang naar buiten. Op het schoolplein klitten ze allemaal onwennig samen. Het was vreemd

om daar te staan en er niet meer bij te horen. Ze wilden wel naar huis, maar eigenlijk ook weer niet.
Om hen heen joelden en schreeuwden de lagere klassen. Ze bekeken het kinderachtige gedoe met enig medelijden.
'Echte ukkies nog, hè,' snoof Jochem.
De anderen knikten.
'Kunnen wij niet meer doen,' vond Robbie. 'Ze zien je aankomen, in de brugklas.'
'Die zijn aan het touwtjespringen,' wees Maaike. 'Dat kan zeker ook niet meer, op die andere school?' vroeg ze spijtig.
Robbie schudde beslist zijn hoofd. 'Hooguit een potje voetballen, zegt mijn broer. Anders ga je af, joh, als een gieter.'
Maaike keek nog eens naar de touwtjespringende vijfdeklassers en zuchtte.
'Ik zie er toch wel tegenop, hoor,' bekende ze. 'Zouden ze echt zo rottig tegen je doen?'
'Ach man, wat kan het je schelen,' zei Jochem stoer. 'Volgend jaar zijn we al tweedeklassers. Kunnen wij lekker de nieuwe brugmuggen pesten.'
'Ik ga hoor,' zei Robbie. 'Prettige vakantie allemaal, enne, tot over zeven weken!'

Op weg naar huis vroeg Eva: 'Is dat echt waar, van dat pesten?'
Daan haalde zijn schouders op. 'Volgens mij valt het wel mee. En straks krijgen we tenminste échte wiskunde, daar verheug ik me wel op.'
Eva trok een gezicht. 'Als je me maar helpt.'
'Tuurlijk,' beloofde Daan. 'Ik heb je toch ook altijd met taal geholpen?'
'Ja.' Eva kneep hem in zijn arm. 'Had ik toch maar mooi een achteneenhalf voor, hè, op m'n laatste rapport! Waar gaan jullie eigenlijk met vakantie naartoe?'

'Weet niet,' zei Daan. 'Ik denk een fietstocht maken. Dat hebben we vorig jaar ook gedaan, met de tent mee en alles. En waar het leuk was, bleven we een paar dagen.' Hij lachte. 'Alleen regende het toen steeds. En het is maar een klein snerttentje, dus we waren na anderhalve week alweer thuis. M'n moeder kon geen tent meer zien. Jullie gaan morgen al, hè? Is je vader al thuis?'
Eva schudde haar hoofd.
'Die komt volgende week pas. Dan vliegt hij vanuit Singapore rechtstreeks naar Griekenland.'
Ze maakte een huppeltje. 'Maar dan blijft hij bijna twee maanden! Kom jij vanavond nog even?'
'Kan niet,' zei Daan. ''t Is toch vrijdag?'
'O ja,' zei Eva. 'Koopavond. Dan kom ik wel bij jou. Je zal trouwens nog opkijken!'
'Opkijken? Hoezo?' vroeg Daan.
'Zal je wel zien,' zei Eva geheimzinnig. 'Tot vanavond!'

Tot Daans verbazing hing zijn moeders jasje aan de kapstok. Zou ze ziek zijn?
'Oehoe!' gilde hij. 'Ben je thuis?'
Zijn moeder kwam het halletje in rennen.
'Moest jij niet werken?' vroeg Daan verwonderd.
'Ik heb een snipperdag genomen.' Met een stralend gezicht duwde ze hem een brief onder zijn neus.
'Ik heb 'm,' zei ze. 'Ik heb 'm, Daan!'
'Wat heb je, waar heb je het over?' vroeg Daan.
'Een baan!' zei zijn moeder. 'Een nieuwe baan! Een échte baan.'
Ze ging voor hem staan en maakte zich zo lang mogelijk.
'Hier voor je staat een lerares Engels van scholengemeenschap "De Brug"!'
Ze stompte hem tegen zijn arm.
'Niks bruidsboeketten, niks grafkransen, voortaan hebben jij en ik

dezelfde schooltijden, en zeven weken zomervakantie! Nou, hoe is-ie?'
Daan rukte de brief uit haar handen. 'Laat zien!'
Zijn ogen vlogen over de regels.
'...Doet ons genoegen u te kunnen meedelen... per 15 augustus... woning beschikbaar...'
Hij keek op. 'Gaan we dan verhuizen?'
Zijn moeder tikte op het papier.
'Ja, hier, het staat er toch. En we krijgen een echt huis, Daan, met een tuin en alles!'
'Moet ik daar dan ook op school?' vroeg Daan snugger.
'Ja, natuurlijk,' zei zijn moeder. 'En misschien kom je wel bij mij in de klas. Vind je het niet heerlijk?'
Daan zei niks. Het duizelde hem.
Verhuizen.
Een vreemde stad, een vreemd huis, een vreemde school waar hij geen kip kende...
En toen kreeg hij een dreun met een zandzak op zijn hoofd. Tenminste, zo voelde het.
Eva!
Eva bleef hier, en hij ging ergens godweetwaar wonen, en opa bleef natuurlijk ook hier, en...
Zijn moeder schudde hem door elkaar.
'Zeg eens wat. Ben je niet blij?'
Daan werd wakker. Blij? BLIJ??
'Nee!' schreeuwde hij. 'Ik ben helemáál niet blij! Ik wíl helemaal niet verhuizen! Ik ga niet mee. Ik blijf hier. Bij Eva en bij opa!'
De glans verdween van zijn moeders gezicht.
'Ik had gedacht dat je wel een beetje blij voor me zou zijn,' zei ze zachtjes. 'Je wist toch dat ik aan het solliciteren was?'
Daan hees zich uit zijn jack en gooide het naast de kapstok. Driftig schopte hij het in een hoek.

'Ik kon toch niet ruiken dat jij naar het einde van de wereld wilt verhuizen?'
Zijn moeder graaide nerveus in haar krullen.
'Toe nou, Daan. Probeer het ook eens van míjn kant te bekijken. Ik begrijp heus wel, dat...'
'Niet!' riep Daan. 'Je begrijpt er niks van! JIJ wilt graag verhuizen, JIJ wilt een andere baan, en JIJ zit altijd over geld te zeuren. Dat hele rottige geld kan mij geen klap schelen!'
'Daan, wees nou redelijk,' smeekte zijn moeder.
'Ik ben altíjd al redelijk!' schreeuwde Daan. 'Altijd zeg je dat we alles samen beslissen, maar nou het iets... iets gróóts is, iets belangrijks, nou vertel je niks. Nou doe je het stiekem! Nou ben je tóch net als iedereen. Ik vind het váls van je, als je dat maar weet!'
'Daan!' Zijn moeders stem kraakte, maar Daan negeerde de waarschuwing.
'Het IS zo!' hield hij vol.
Ze staarden elkaar aan alsof ze een wedstrijdje hielden wie het langst kon kijken zonder zijn ogen neer te slaan.
Daan won. En vreemd genoeg hielp dat.
Iets kalmer zei hij: 'Weet opa het al?'
Zijn moeder schudde haar hoofd. 'Ik wou het hem vanavond gaan vertellen.'
'Zal-ie leuk vinden,' zei Daan. Plotseling schoten de tranen in zijn ogen, en daardoor werd hij opnieuw woedend.
Zonder verder na te denken rukte hij de voordeur open en stormde de hal in.
'Daan!' riep zijn moeder. 'Waar ga je naartoe?'
Daan gaf geen antwoord. Hij roffelde in één vaart alle trappen af, smeet de buitendeur met een daverende klap achter zich dicht en begon te rennen.

Pas voor de glazen deuren van Zonnegloren stond hij stil.
Buiten adem, met zijn hand tegen zijn stekende zij gedrukt, strompelde hij zonder te kloppen opa's kamer binnen.
Opa zat vredig te puzzelen, één potlood onder de klep van zijn pet en één in zijn hand.
Verbaasd keek hij op. 'Waar is de brand?'
Daan plofte hijgend in een stoel. 'Je raadt het nooit!'
'Niemand weet, niemand weet, dat ik Repelsteeltje heet,' zei opa.
Maar Daan was niet in de stemming voor grapjes.
'We gaan verhuizen!' gooide hij eruit. 'Mama heeft een andere baan!'
Opa schoof de krant van zich af.
'Zo,' zei hij rustig. 'Is het gelukt?'
Daan staarde hem aan. 'Wist je dat dan?'
'Ik wist dat ze solliciteerde,' zei opa. 'Per slot heeft ze dat diploma niet voor niks gehaald. Waar gaan jullie naartoe?'
'Naar eh...' Daan was opeens de naam van het stadje vergeten.
'Weet ik niet meer,' zei hij. 'Maar 't is een rotgat. En het is een roteind weg.'
'Tjonge,' zei opa. Hij haalde het potlood onder zijn pet vandaan en peuterde er ongegeneerd mee in zijn oor.
'Maar d'r gaan toch hoop ik wel treinen naar dat rotgat?'
'Weet ik veel!' riep Daan. 'Wat kan mij dat nou schelen! Ik ga niet mee. Ik wíl helemaal niet verhuizen!'
'Nee.' Opa haalde het potlood uit zijn oor en bekeek het nadenkend. 'Dat snap ik. Maar ik ben bang dat je niks te willen hébt, jong.'
'Tuurlijk wel!' zei Daan fel. 'Ze kan toch híer een baan zoeken? Hier zijn toch ook scholen?'
'Misschien hebben ze hier niemand nodig,' zei opa zachtzinnig. 'Had je dat al bedacht?'
Daan staarde bokkig uit het raam. Hij voelde dat hij terrein verloor, maar hij weigerde het toe te geven.

Het gesprek liep niet helemaal zoals hij het zich had voorgesteld. Of eigenlijk helemaal niet. Hij had gedacht dat opa ook wel kwaad zou zijn. En nou zat-ie het voor mama op te nemen, nota bene!

'Vind jij het dan niet rottig?' vroeg hij.

Opa knikte.

'Wat dacht je dan? Ik vind het beroerd. Maar ik ben blij voor je moeder.'

'Ik niet,' zei Daan koppig. 'En ik vind het gemeen dat ze het allemaal stiekem heeft gedaan. Ze doet altijd net of we alles samen beslissen, en nou, en nou...'

'En nou blijkt dat je niks hebt in te brengen als lege briefjes,' zei opa. Hij lachte een beetje.

'Hoe oud ben je nou, Daan?'

'Twaalf,' zei Daan. 'Bijna dertien,' verbeterde hij.

Opa legde het potlood neer.

'Ik ben vierenzeventig,' zei hij. 'En ik heb óók niks over m'n eigen leven te vertellen. Ik niet langer, en jij nog niet. Ik zit hier nou twee jaar, en waarom denk je dat ik het altijd Avondrood noem?' Hij snoof. 'Zonnegloren, 't mocht wat! Ze vertellen je wanneer je moet opstaan, en wat je moet eten, en hoe laat. En als je niet uitkijkt, tellen ze je sigaren en je borreltjes. En over tien jaar doen ze dat nóg, als ik niet voor die tijd tussen zes plankies lig.'

Hij krabde verwoed onder zijn pet. 'Snap je wat ik bedoel?'

Daan frunnikte onzeker aan zijn bril.

'Vind je het hier dan niet leuk?' vroeg hij schuchter.

'Leuk,' zei opa. 'Leuk! Als ik deed wat ik wou, dan zat ik op een schip. Of anders in elk geval in m'n eigen huis. Maar ik héb niks te willen, want ik ben oud. En jij hebt niks te willen omdat je jong bent. Maar bij jou verandert dat, bij mij niet meer.'

Daan beet nadenkend op zijn onderlip.

'Maar opa, je zegt toch altijd zelf dat je niet met je moet laten sol-

len? Dat je met je vuist op tafel moet slaan? Waarom deed je dat toen dan niet?'
'D'r was geen tafel in de buurt,' zei opa droog. 'Alleen een ziekenhuisbed.'
Hij stond op en plukte een verdord blaadje uit een cyclaam.
'Onmacht,' zei hij. Het blaadje verpulverde tussen zijn vingers. Hij draaide zich om.
'Leg je er maar bij neer, maatje. Er zal niks anders opzitten.'
Daan zweeg.
'Kijk,' zei opa. Hij steunde met zijn handen op de tafel.
Oude handen waren het, zag Daan opeens. Oude handen, met bruine vlekken op de huid, en blauwe aderen die als riviertjes onder de oppervlakte kronkelden. Gek, dat was hem nooit eerder opgevallen.
'Kijk,' zei opa. 'Over pakweg zes, zeven jaar ga jij het huis uit. Studeren als je er de kop voor hebt, of misschien een baan ergens. En stel nou dat je moeder niet die studie had gedaan. Dan stond ze voor de rest van haar leven tussen de azalea's. Hard werken, een schijntje verdienen, en 's avonds in een leeg huis thuiskomen. Geen wonder dat ze dat niet wil. Ze is nou nog jong, ze heeft nou nog toekomst.'
Hij tikte nadrukkelijk met een vinger op Daans borst.
'Dus wat deed ze? Ze sloeg met 'r vuist op tafel, op haar eigen manier. En over een paar jaar doe jij dat ook. Dus wie van ons tweeën is nou slechter af, jij of ik?'
Hij wachtte even.
'Nou?'
Daan keek naar zijn eigen handen. Twee nagels waren er gebroken, en op de rug van zijn linkerhand zat een schram. Maar de huid was glad en stevig en jong.
Hij knikte langzaam. Toen zuchtte hij diep.
'Ik zal je missen, opa.'

'En mij niet alleen, denk ik,' zei opa pienter.
Daan kleurde. 'Nee.'
Opa gaf hem een klap op zijn schouder en stond op.
'Kop op, jong. De zon gaat elke avond onder, maar ze komt 's ochtends gewoon weer op. En nou moet je ophoepelen, want ik moet eten.' Hij grinnikte. 'Voorschrift van het huis.'
'Is het al zó laat?' schrok Daan. Hij stond haastig op.
'Pisnijdig weggelopen, zeker?' begreep opa.
'Zoiets,' mompelde Daan.
Opa liep met hem mee naar de deur.
'Feliciteer je moeder van me. En zeg maar dat ik een ouden-van-dagen-kaart ga kopen bij de spoorwegen.'

Toen Daan zijn eigen straat inliep, zag hij vanuit de verte zijn moeder al op het balkon staan. Ze zwaaide naar hem.
Daan stak één zuinige vinger op.
Zijn moeder zwaaide nog eens, en opeens moest hij denken aan die keer dat hij Eva had uitgelegd wat een wuifmoeder was.
Hij begon wat vlugger te lopen.

31

Boven de verzoeningspatat vroeg Dam: 'Wanneer gaan we dan precies verhuizen?'
'Over vier weken ongeveer,' zei zijn moeder.
'Over VIER weken?' Daans vork zweefde halverwege tussen zijn mond en zijn bord.
Zijn moeder haalde drie patatten tegelijk door de mayonaise en maakte een verontschuldigend gebaar.
'Het moet wel zo snel, want per één augustus komt dat huis leeg. Dus ik kan hier nog net op tijd de huur opzeggen. Dat scheelt een dubbele maandhuur, en dat komt goed uit, want we hebben natuurlijk wel extra kosten voor nieuwe gordijnen en vloerbedekking en zo.'
'Ja.' Daan luisterde niet.
Morgen ging Eva al op vakantie, en die kwam pas over zes weken terug, dus...
Hij kuchte. 'Dan zie ik Eva vanavond voor het laatst,' zei hij schor.
Zijn moeder streek hem over zijn haar. 'Ze kan altijd komen logeren, hoor, dat weet je toch?'
'Maar dat is niet hetzelfde,' zei Daan lamlendig.
'Nee.' Zijn moeder schoof haar bord van zich af. 'Dat is niet hetzelfde, dat weet ik. Maar ik kon deze kans niet laten lopen, Daan. Ik heb niet voor niks al die jaren zitten zwoegen om dat ellendige diploma te halen. En wie weet hoe lang het zou duren voor er hier een baan vrijkwam.'
'Dat zei opa ook,' zei Daan. 'Ik moest je trouwens alvast feliciteren.'

'Ik ga zo even naar hem toe.' Zijn moeder frommelde de lege patatzak in elkaar.
'Hoe laat komt Eva?'
Daan roerde met zijn vork in de klodder mayonaise op zijn bord. Vies spul was het eigenlijk, als je er goed naar keek. Hij schoof het laatste bergje patat erbovenop.
'Weet ik niet precies,' zei hij. En toen vlug: 'Ga jij maar naar opa.'
'Best,' zei zijn moeder inschikkelijk. Ze ruimde de tafel af en zette de borden in de gootsteen. 'Dan ga ik gelijk even. Laat de afwas maar staan.'
Met haar jasje al aan kwam ze de keuken weer binnen.
'Dit jaar wordt het niks met de vakantie, Daan. We hebben het geld te hard nodig. Maar volgend jaar gaan we naar Frankrijk. Fossielen zoeken. Ik weet wel dat het een troostprijs is, maar reken er maar vast op.'

Toen ze weg was, zette Daan de televisie aan, maar die had niets te bieden dan meneren die spraken over ontwikkelingshulp, het bestrijden van ziektes bij aardappelrassen, en een cursus Portugees voor beginners.
Hij slenterde naar zijn kamer, pikte een biebboek op en legde het weer weg. Zijn hoofd stond niet naar lezen. Zijn hoofd stond nergens naar.
Hij ging languit op zijn bed liggen, met de armen onder zijn hoofd. Zijn blik dwaalde langs alle vertrouwde dingen.
Dus over vier weken sliep hij ergens anders. In een vreemd huis. Zou hij een grote kamer krijgen? Dit was maar een hok, goed beschouwd. Als hij aan z'n bureautje zat te werken, stond zijn stoel al klem tegen het bed.
Hij keek naar zijn boekenplank. Nou, die hoefde niet mee, die stond op instorten. Hij timmerde daar wel een nieuwe. Een dubbele.

Zijn oog viel op zijn boekomslagen. Die moesten wél mee, natuurlijk. Zonde om te laten hangen; hij had er drie jaar over gedaan om er zoveel bij elkaar te krijgen.
Hij rolde zich naar het voeteneind en trok aan het onderste omslag, dat scheurde. Stom om die dingen vast te plakken, hij had het beter met punaises kunnen doen.
Hij reikte naar zijn bureau en viste een potlood uit de la. Eens kijken of dat beter lukte. Hij duwde het tussen het omslag en de muur en rolde het naar boven.
Nu liet de lijm gemakkelijk los. Het omslag krulde om aan de hoeken, en op het behang verscheen een witte rechthoek.
Daan beet besluiteloos op het potlood. Zou hij doorgaan? Het moest er tóch af, en hij was te rusteloos om iets anders te doen.
Een halfuur later was zijn bed bezaaid met omslagen, en de muur vertoonde een grote kale plek.
Toen de bel ging, schrok hij op. Met lijm aan zijn zolen sjokte hij naar de voordeur.
'Hoipiepeloi!' zei Eva. Ze wierp hem een fonkelende glimlach toe, maar Daan zag het niet.
'Hoi.'
Eva liep achter hem aan naar zijn kamer.
'Zie je niks aan me?'
Maar Daan was er niet bij met zijn gedachten.
'Wat moet ik dan zien?'
Eva glimlachte weer oogverblindend. 'Zie je nóg niks?'
'Nee,' zei Daan weifelig. 'Heb je iets nieuws aan of zo?'
Eva haakte twee vingers achter haar mondhoeken en trok haar bovenlip op in een gruwelijke grimas.
'Kijk dan, oen! M'n beugel is weg!'
Daan duwde zijn bril wat hoger op zijn neus. 'Tjee, lach nog es?'
Eva lachte zo breed dat ze een banaan overdwars had kunnen opeten.

'Goed hè? 't Is een gek gevoel, joh! Lekker glad. Alleen praat ik nou een beetje raar, omdat ik zo aan die beugel gewend was.'
Ze lachte weer. Haar tanden glinsterden wit, in twee onberispelijk rechte rijen.
Zo is ze nog mooier, dacht Daan.
'Was dat de verrassing?' vroeg hij.
Eva knikte. Ze wees naar de boekomslagen.
'Wat ben je aan het doen? Gooi je ze weg?'
Daan slikte. Zijn mond was droog. O shit, hoe moest hij het nou vertellen?
'Gooi je ze weg?' herhaalde Eva.
Daan schudde zijn hoofd.
'Ik heb ook een verrassing,' zei hij onduidelijk. 'Alleen niet zo'n leuke.'
'Verrassing? Hoe bedoel je?' vroeg Eva.
'We gaan verhuizen,' mompelde Daan. 'Naar een andere stad.'
'Verhúizen?' Eva staarde hem aan. 'Wanneer?'
'Over vier weken,' zei Daan. Hij stopte zijn handen in zijn zakken, haalde ze er meteen weer uit.
Eva zei niets.
'Ik wist het óók niet,' zei Daan ongelukkig.
Waarom zei ze nou niks? Hij kon het toch ook niet helpen?
'M'n moeder heeft alles geregeld. Ik hoorde het vanmiddag pas. Ze heeft een nieuwe baan. Ze wordt lerares aan een scholengemeenschap.'
'Waar?' vroeg Eva. Haar stem klonk dun.
'Ergens in de buurt van Eindhoven.' Daan keek naar zijn schoenen. Er zaten nog steeds geen nieuwe veters in.
'O,' zei Eva. 'O.'
Ze prutste aan de sluiting van haar jack. In de keuken drupte de kraan.
'Ik kwam toch even gedag zeggen?' Ze lachte, maar het klonk niet

vrolijk. 'Nou, dat wordt dan meteen een afscheid voorgoed, hè?'
Daan hoestte. 'We krijgen een huis met een tuin,' zei hij onbenullig. 'Een écht huis.'
Alsof hij Eva moest uitleggen wat een echt huis was.
'Leuk voor je,' zei Eva.
Ze zwegen.
Daan had eens ergens gelezen dat de gemiddelde mens beschikt over een woordenschat van tienduizend woorden.
En nou wist hij er niet één.
'Je mag komen logeren,' zei hij ten slotte. Zijn stem sloeg over. 'En we kunnen elkaar toch schrijven?'
'Twee keer,' zei Eva bitter. 'En dan vergeet je 't.'
Daan pakte haar hand.
Honderd keer had hij haar hand gepakt, maar nu voelde het anders. Nieuw.
Eva keek op. Haar ogen glinsterden. Ze leken meer dan ooit op de ogen van een hert.
Daan boog zich voorover en zoende haar op haar wang. Daarna kleurde hij purperrood.
Eva trok met een ruk haar hand los.
'Dag dan, hè?'
Ze holde de kamer uit, het halletje door en de trappen af. Haar voeten bonkten op de betonnen treden. De buitendeur sloeg.
Daan schudde zich. Hij stormde naar het balkon.
'Eva!' schreeuwde hij.
Eva bleef staan. Ze keek omhoog.
Daan klemde zijn handen om de bladderende spijlen van het hek.
'Hou je taai!' schreeuwde hij.
Het was het stomste dat hij ooit gezegd had, maar hij wist niks beters.
Eva knikte. Toen lachte ze een scheef lachje.
'Ik doe niet anders!' schreeuwde ze terug.

Daan keek haar na.
Haar haren lagen zwart en glanzend op haar rug, waaiden op en lagen weer glad.
Hij keek. Hij keek tot ze om de hoek verdwenen was, en hij wist zeker dat hij ooit een woord zou vinden dat rijmde op ravenvleugels.